Isabel Abedi

Lola
supernianią
Tom 7

Przełożyła Sylwia Walecka
Ilustrowała Dagmar Henze

Nasza Księgarnia

Dla Vanessy Walder

www.lola.com.pl
www.abedi.pl

Tytuł oryginału niemieckiego
Lola Schwesterherz

Isabel Abedi

Lola
superniania

07\12

05 06 13
1 9 JUN 2013

1 8 NOV 2015

1 4 NOV 2018

0 1 DEC 2018

2 0 DEC 2021

This book should be returned/renewed by
the latest date shown above. Overdue items
incur charges which prevent self-service
renewals. Please contact the library.

Wandsworth Libraries
24 hour Renewal Hotline
~~01159 293388~~
www.wandsworth.gov.uk Wandsworth

L.749A (2.07)

W SERII:

ZANIM ZACZNĘ

Moja przyjaciółka mówi, że życie czasami jest jak kłębek wełny. Samemu trzeba zdecydować, co ma z niego powstać. A jeśli szczęście dopisze, to na koniec wychodzi coś naprawdę dobrego.

Jak już z pewnością wiecie, moja przyjaciółka ciągle mówi dziwne rzeczy. I zawsze muszę nad nimi tęgo pogłówkować. Na przykład nad pytaniem, co powstanie z kłębka życia, jeśli szczęście nie dopisze. Jeśli włóczka się poplącze, jeśli pomylę ścieg albo zerwę nić? Wtedy trzeba wszystko spruć i w efekcie otrzymuje się wełniany bigos!

Moja przyjaciółka mówi, że nie można rozmyślać nad tym, co mogłoby się nie udać, bo w ogóle się nie zacznie.

No i prawdopodobnie jak zwykle ma rację. Zatem dobrze. Przestaję łamać sobie głowę i zaczynam.

STRASZNE ZAJĄCE, MAŁA PIŁKA
I DRUGA POŁOWA

Na początku był krzyk.

Rozbrzmiewał w nocnej ciszy, nie ustając ani na chwilę. Tak było przez trzy dni i trzy noce, aż wszyscy mieszkańcy Hamburga zerwali się z łóżek i zaczęli modlić do wszechmogącego Boga, aby wreszcie nastała cisza. Ale Bóg nie wysłuchał ich próśb.

A więc musiałam wziąć sprawę w swoje ręce.

Wrzask dochodził z domu przy Osterstrasse 8. Dowiedziałam się od sąsiadów, że mieszka w nim świeżo upieczone małżeństwo o nazwisku Ruckdäscher. Trzy dni temu przywieźli nowo narodzone maleństwo. I od tego czasu ono wrzeszczy. Odwiedzali je już lekarze, położne i uzdrowiciele, ale nikt nie zdołał pomóc. Wczesnym popołudniem do szpitala przyjęto pana Ruckdäschera z pękniętą błoną bębenkową i od tej pory nikt już nie reaguje na dzwonek. Musiałam więc wyważyć drzwi. Pani Ruckdäscher siedziała przykucnięta za kanapą i jęczała. Była blada z wyczerpania, a jej włosy sterczały we wszystkie strony.

Bobas leżał w kołysce. To był chłopiec, z twarzą siną od krzyku. Nad jego głową kołysała się karuzela z zajączkami. Pościel również zdobiły zajączki, podobnie jak piżamkę. Na głowie miał pluszową białą czapeczkę z błękitnymi zajęczymi uszami. Ściany pokoju pokrywała tapeta w zajączki, na stoliku w salonie leżała książka z obrazkami *Kic, kic, zając Chyc*, a na podłodze w całym mieszkaniu rozrzucone były pluszowe zajączki.

Kiedy malec nabierał powietrza przed dalszym krzykiem, pani Ruckdäscher wyszeptała resztkami sił:

— Już nie mogę.

— I dlatego ja tu jestem — odrzekłam. Wyjęłam wrzeszczącego bobasa z kołyski i popatrzyłam mu głęboko w oczy. Po kilku sekundach skinęłam porozumiewawczo głową i szepnęłam mu coś do ucha. Potem zasłoniłam mu oczy dłonią i wreszcie nastała cisza.

— Sprawa polega na tym — powiedziałam do pani Ruckdäscher — że pani syn ma lepofobię, czyli potworny lęk przed zającami.

— Lepo co? — Pani Ruckdäscher wielkimi oczyma popatrzyła najpierw na mnie, potem na wszystkie otaczające ją zające i wreszcie na swojego syna.

— Fobia to ogromny, ale to ogromny lęk — wyjaśniłam jej. — Może dotyczyć przeróżnych rzeczy, a pani syn boi się właśnie zajęcy.

— No tak, ale... skąd ty to wiesz? — wyjąkała pani Ruckdäscher.

— Czytam w myślach pani syna — odparłam. — To mieszkanie to dla niego dosłownie tunel strachów.

Pani Ruckdäscher gapiła się na mnie ze zdumieniem. A co ja mogłam powiedzieć? To najszczersza prawda. Wystarczy, że popatrzę bobasowi w oczy i cyk, już wiem, o co chodzi. Rozpoznaję nawet imię i znak zodiaku — a z oczu dziecka mogę wyczytać każde jego życzenie.

Dziecko pani Ruckdäscher nazywało się Jan-Ole, było spod znaku Panny, a jego ascendent to Ryby. Jeśli chodzi o jego życzenia, bez trudu mogłam je przekazać mamie.

— Jeśli pani chce, aby syn czuł się w domu dobrze, to niech mu pani sprawi robaki!

Pani Ruckdäscher nie mogła złapać powietrza.

— Mój syn... chce mieć ROBAKI?!

— Tak jest — odpowiedziałam. — Pluszowe, gumowe, drewniane... Wszystko jedno jakie. A na Wielkanoc najlepiej niech pani zamówi Wielkanocnego Robaka. Ale najpierw proszę się pozbyć z domu tych zajęcy, jasne?

Pani Ruckdäscher przytaknęła. Potem padła przede mną na kolana. Na pożegnanie szepnęłam Janowi-Ole jeszcze coś do ucha i sprawa była załatwiona. Jan-Ole otrzymał zbiór maskotek robaków, tapetę w robaki i drewnianą huśtawkę w kształcie robaka. Dzięki temu stał się najspokojniejszym bobasem w Hamburgu. Oczywiście gazety opisały tę historię i od tego czasu znowu jestem sławna.

Nazwano mnie Lalą Lu, zaklinaczką niemowląt, i teraz nie mogę opędzić się od zleceń. Kazałam sprawić sobie „bobofon" z odbiorem satelitarnym, a żebym mogła szybciej pojawiać się na miejscu zdarzenia, przeprowadziliśmy się. Mieszkamy teraz w najwyższym wieżowcu Hamburga. Mam własny automat do smoczków, a na dachu mieści się lądowisko dla helikoptera. Mój pilot ma na imię Alexander, a druga pilotka nazywa się Raszka i dodatkowo pracuje jako położna, a jej specjalizacją są porody waleni. Moja rodzina musiała zrezygnować ze swoich zawodów i teraz wszyscy pracują dla mnie. Mama odpowiada na listy od fanów, a papai obsługuje gorącą linię telefoniczną, żeby kyrdonować spotkania. A może koordynować? W każdym razie papai pełni funkcję mojego agenta wspólnie z dziadkiem, który negocjuje honoraria. Ciotka Lisbeth zajmuje się obsługą automatu ze smoczkami, a babcia sprzedaje książki opowiadające o moich umiejętnościach jako zaklinaczki dzieci. W tej chwili jest ich już siedemnaście i każda z nich to bestseller. To znaczy, że bardzo, ale to bardzo dobrze się sprzedają. Najskrytszą z moich zdolności zna tylko moja przyjaciółka. Jedynie ona wie, co szepczę bobasom do ucha: magiczne słowa. Dla każdego dziecka mam odpowiednie magiczne zaklęcie, które przynosi mu szczęście i zdrowie na całe życie. Tajemne słowo dla Jana-Olego brzmiało „phoronida". Pochodzi z greckiego i oznacza kryzelnice, to takie morskie żyjątka. Wyszeptałam to jeszcze kilka razy, a potem wróciłam na hamburską Bismarckstrasse 44. Pod tym adresem na pierwszym piętrze mieści się małe trzypokojowe mieszkanie.

Oczywiście wy już to wiecie, prawda? Że zawsze, kiedy nie mogę zasnąć, wyobrażam sobie, kim bym była, gdybym nie była sobą. I właśnie od miesiąca w takich chwilach stawałam się Lalą Lu, zaklinaczką dzieci.

Większość z was z pewnością się orientuje, kim jestem w rzeczywistości. Moja przyjaciółka mówi, że nie muszę w każdej historii opowiadać tego od nowa. Ale ja właśnie chcę! Jeśli myślicie tak jak moja przyjaciółka, możecie przeskoczyć następne linijki, tylko nie skarżcie się potem, że czegoś nie wiecie.

A zatem: jestem Lolą Veloso, córką mamy i taty, wnuczką babci, dziadka i vovó, siostrzenicą ciotki Lisbeth i bratanicą siedmiu brazylijskich ciotek, najlepszą przyjaciółką Raszki, dziewczyną Aleksa z Paryża, właścicielką małej czarnej kotki Śnieżki, a za mniej więcej dwadzieścia tygodni zostanę starszą siostrą... No tak. To właśnie powód, dla którego ostatnio często nie mogę spać w nocy. Moi rodzice niedawno się pobrali, a mama jest w ciąży. A jutro mam się wreszcie dowiedzieć, KIM ostatecznie będę: starszą siostrą młodszej siostry czy starszą siostrą młodszego brata. To istotna różnica, jak sobie prawdopodobnie możecie wyobrazić. Tylko nie myślcie, że bobas ma się urodzić jutro. To niestety jeszcze nie ten moment.

Kiedy w lipcu pojechaliśmy do Brazylii, mama była w trzecim miesiącu ciąży. Powiedziała nam o tym dopiero tuż przed ślubem, a papai z radości się rozpłakał. Ja z zaskoczenia najpierw zupełnie nie mogłam sobie poradzić, chociaż moja przyjaciółka uważa, że właściwie powinnam była się domyślić dużo wcześniej. W końcu spotkałyśmy w Brazylii kapłankę. Naprawdę! To babcia naszego przyjaciela Kaku, która z muszli przepowiedziała mi przyszłość.

„Od teraz ty będziesz starszą".

Tak powiedziała do mnie kapłanka i to zdanie długo nie mogło mi wyjść z głowy. Było niczym magiczne przesłanie, które przywiozłam ze sobą z podróży do Brazylii.

I oto zaczął się już wrzesień, a mama była w piątym miesiącu. Właśnie mijał dwudziesty tydzień. To znaczy, że pierwsza połowa ciąży już za nami. A w drugiej połowie wreszcie będzie coś widać. W Brazylii brzuch mamy był zupełnie płaski, a teraz wyglądał tak, jakby połknęła małą piłkę. Dlatego też od tygodnia mówiliśmy do bobasa *bolinha*. To po portugalsku „piłeczka", wymawia się „bolinja". Nie jest to oczywiście imię dla prawdziwego dzidziusia, to byłoby kompletnie zwariowane! Ale nie mieliśmy jeszcze do czynienia z prawdziwym bobaskiem, skoro nie znaliśmy nawet jego płci. Wiedzieliśmy tylko, kiedy się urodzi — lekarka wyliczyła termin na 22 stycznia. Jutro będę mogła pójść z mamą na jej kolejne badanie. Papai również zamierzał z nami iść i jak szalony cieszył się, że zobaczy swoją małą piłkę nożną w telewizorze. Mama wyjaśniła mi, jak to działa. Jej ginekolog ma specjalny aparat, który trzyma na brzuchu ciężarnej i który przenosi na monitor to, co się znajduje w brzuchu. Uznałam, że to fantastyczne! Przy odrobinie szczęścia dowiem się jutro, czy w brzuchu mamy rośnie siostrzyczka, czy braciszek.

Na razie pewne było jedynie to, że *bolinha* będzie Wodnikiem — jeśli przyjdzie na świat o czasie. Alex to wyliczył. Mój chłopak zna się bardzo, ale to bardzo dobrze na znakach zodiaku. Potrafi nawet określić ascendent. Mój to Lew. Odpowiada za cechy, które pokazuję na zewnątrz, i dlatego Alex nazywa mnie Lolą Lwicą. Mówi też do mnie *ma chérie*. To po francusku „moja kochana". Właściwie Alex mieszka ze swoją *maman* w Paryżu, ale teraz ma jeszcze półtora tygodnia wakacji, które spędza u swojego taty Jeffa w Hamburgu. Nagle zapragnęłam, aby był teraz przy mnie. Mógłby obliczyć ascendent *bolinhi*, a ja wiedziałabym, na jakie cechy powinnam się przygotować.

Babcia mówi, że naglące pytania najlepiej wyjaśniać od razu. Wysunęłam więc czubek nosa do przedpokoju, ale natychmiast się cofnęłam, bo z sypialni wydreptała również mama, a ona zawsze się denerwuje, kiedy się włóczę po nocy. Kobietom ciężarnym nie wolno się denerwować, bo mogą mieć przyśpieszony poród. Lub przedwczesny? Wszystko jedno. Poczekałam, aż mama wróci do łóżka, wśliznęłam się do salonu i podeszłam do telefonu. Wybrałam numer komórkowy Aleksa. Musiałam wykonać dziewięć prób, a za każdym razem telefon dzwonił nieskończenie długo, aż wreszcie go dorwałam.

— Halooo? — wymamrotał zaspanym głosem Alex.

— To ja, Lola — powiedziałam.

— CO SIĘ STAŁO? PALI SIĘ? — Głos Aleksa był teraz tak wystraszony, że ogarnęły mnie wyrzuty sumienia.

— Mam naglące pytanie — odrzekłam pośpiesznie. — Mógłbyś mi szybko obliczyć ascendent *bolinhi*?

Alex westchnął. Potem ziewnął i powiedział:

— Do tego muszę znać dokładną godzinę.

— Nie ma sprawy — odparłam i spojrzałam na zegarek. — Jest pierwsza piętnaście i pięćdziesiąt pięć sekund.

13

— No ale przecież nie o TĘ godzinę mi chodzi! — zdenerwował się Alex i ponownie ziewnął. — Potrzebna mi godzina narodzin.

— Co? — Zmarszczyłam czoło. — Ale ja jej jeszcze nie znam.

— No właśnie — powiedział Alex i ziewnął po raz trzeci. — Dlatego obliczę ascendent dopiero wtedy, kiedy wasza *bolinha* się urodzi. A teraz, proszę, pozwól mi spać. Zresztą ty też powinnaś wracać do łóżka, jeśli nie chcesz przegapić pierwszego dnia w szkole. No to na razie. Śpij dobrze.

Alex się rozłączył. A ja westchnęłam. Przez to „śpij dobrze". Teraz to dopiero byłam rozbudzona, a skóra na głowie swędziała mnie jak szalona.

Bo pierwszy dzień szkoły był drugim powodem, dla którego się tak bardzo denerwowałam. Od jutra będę już w piątej klasie, a tym samym w nowej szkole. To zespół szkół, a ponieważ leży przy Löwenstrasse, „ulicy Lwiej", nazywany jest lwią szkołą. To cudowne! Tylko że ja będę w niej małym lwiątkiem, bo jako piątoklasistka znajdę się wśród najmłodszych i szczerze mówiąc, tego właśnie trochę się obawiałam. Żeby o tym nie myśleć, udałam się na poszukiwanie Śnieżki. Kiedy wczołgiwałam się pod kanapę, zostałam przyłapana przez tatę. Wrócił właśnie z „Perły Południa", naszej brazylijskiej restauracji. W ręce trzymał plastikowe pudełko, a na mój widok na jego czole pojawiły się zmarszczki.

— Nie mogę spać — pisnęłam.

Papai westchnął.

— To jest was już dwie. Mama też ma problem z zaśnięciem. Zadzwoniła do restauracji, żebym przywiózł jej coś do jedzenia.

Nie mogłam powstrzymać się od chichotu. W Brazylii mamie było ciągle niedobrze i dłubała w jedzeniu jak szpak. Natomiast ostatnio miała apetyt niczym mistrz piłki nożnej i o przeróżnych porach łapał ją przeraźliwy głód. Papai spełniał wszystkie jej życzenia — a to sprawiało, że byłam szczęśliwa. Przed ślubem rodzice kłócili się tak bardzo, że bałam się, iż się rozstaną. Ale na szczęście wszystko się ułożyło i od czasu ślubu papai traktował mamę jak ciężarną królową.

— I? — zapytałam, kiedy papai, mijając mnie, szedł do kuchni. — Co przywiozłeś?

Uśmiechnął się.

— Chyba wolisz tego nie wiedzieć.

Ale ja chciałam wiedzieć! Więc na paluszkach ruszyłam za nim, jednak kiedy podniósł przykrywkę pudełka, zrobiło mi się niedobrze. W pudełku leżała ogromna martwa ryba i szklistymi oczami gapiła się prosto na mnie.

— FUUUUUJJJJJ! — zaskrzeczałam.

— Ostrzegałem cię — powiedział papai. Wlał oliwę na patelnię i położył na niej rybę. Wyglądał na dość zmęczonego.

15

— Pomogę ci — zaproponowałam z szaleńczą determinacją, bo jak już wiecie, nie ma dla mnie nic bardziej obrzydliwego niż zapach ryby. Zatkałam sobie nos spinaczem do bielizny i podczas gdy papai podsmażał tego martwego skunksa, przygotowywałam dla mamy tacę.

Jeśli zaniosę jej jedzenie do łóżka, na pewno się nie zdenerwuje, tylko ucieszy. Jednak kiedy po półgodzinie wmaszerowaliśmy do sypialni, spod kołdry dochodziło głośne chrapanie.

— No świetnie — stwierdził papai. — A kto teraz zje rybę?

Pod łóżkiem mamy rozległo się miauczenie, a po chwili o moją nogę zaczęła ocierać się mięciutka kocia głowa. Nie mogliśmy z tatą powstrzymać się od śmiechu. Potem podaliśmy Śnieżce nocny posiłek, a papai wcisnął mi do ręki paczuszkę.

— Od vovó — powiedział. — Z okazji pierwszego dnia w szkole.

I w tej chwili od razu zaczęła mnie swędzieć głowa. Vovó — moją brazylijską babcię — poznałam dopiero tego lata i tęskniłam za nią tak samo jak za krajem, który stał się moją drugą ojczyzną. Ale to, że vovó pamiętała o moim pierwszym dniu w szkole, było naprawdę bardzo, ale to bardzo słodkie. Rozpakowałam paczkę i wyjęłam z niej piórnik. Z krzykliwego różowego plastiku z nadrukowaną księżniczką. Miała blond loki i błyszczącą złotą koronę.

— Och — westchnęłam. Piórnik wyglądał tak, jakbym szła do pierwszej klasy, a nie do piątej. A nawet wtedy nie chciałabym dostać takiego. Papai z pewnością zdawał sobie z tego sprawę. Uśmiechnął się pocieszająco.

— Prawdopodobnie te blond loki przypominają babci ciebie. Zawsze kiedy dzwoni, chce wiedzieć, jak się miewa jej mała księżniczka.

— Piórnik jest świetny! — zapewniłam tatę i zaplanowałam, że zabiorę go jutro do szkoły. Starego nie mogłam wieczorem znaleźć, a mama się denerwowała, że nie mamy pieniędzy na ciągłe kupowanie nowych rzeczy.

Papai usiadł jeszcze na moim łóżku i zrobił mi *cafuné*, czyli „drapanie głowy". Uwieeeeeeeeeeeeeeeelbiam *cafuné*, a papai jest w tym prawdziwym mistrzem świata.

— Pamiętasz, jak się przeprowadziliśmy do Hamburga? — zapytał. — Wtedy też szłaś do nowej szkoły i marzyłaś o najlepszej przyjaciółce, dokładnie tak samo jak Raszka. Dzisiaj rozmawiałem o tym z Penelopą.

— Tak — potwierdziłam i kiedy pomyślałam o koziej szkole, zrobiło mi się lekko na sercu. W klasie trzeciej B stałyśmy się z Raszką najlepszymi przyjaciółkami, w czwartej B byłyśmy już nierozłączne. I takie oczywiście pozostaniemy w nowej szkole!

– Zapisałeś nas do tej samej klasy, prawda? – upewniłam się.

– Oczywiście – potwierdził papai. – Będziecie razem z Fryderyką, Solem i Anzelmem. Masz teraz starych przyjaciół po swojej stronie i wspólnie na pewno znajdziecie kilku nowych.

Ta myśl była tak pocieszająca, że wreszcie zachciało mi się spać.

– Chciałabym, abyśmy wszyscy trafili do piątej B – wymamrotałam. – To na pewno przyniosłoby nam szczęście.

– Z pewnością – powiedział papai. Dał mi buziaka, a kiedy wychodził, przyszła Śnieżka i wtuliła mi się w nogi niczym mała kuleczka. Kiedy ostatni raz spojrzałam na zegarek, minęła trzecia. Uznałam, że jest w tym magia. Mama była w piątym miesiącu ciąży, piątka przyjaciół szła razem do piątej klasy, a mój pierwszy dzień w lwiej szkole miał się rozpocząć za pięć godzin. A zatem, dobranoc!

ALEX JEST ZAZDROSNY, A MOJE ŻYCZENIE SIĘ SPEŁNIA

Kiedy dołączałam do mojej dawnej koziej szkoły, rok szkolny już dawno trwał. Tym razem zaczynałam naukę razem z innymi piątoklasistami i wszyscy zgromadziliśmy się w auli, gdzie odbywało się oficjalne powitanie. Zobaczyłam imponującą salę z wysokim sufitem, błyszczącą drewnianą podłogą — i sceną, przynajmniej pięć razy większą od naszej w restauracji. Stało na niej dwadzieścia bębnów. Papai uśmiechnął się do mnie, a mnie jak zwykle zaczęła potwornie swędzieć głowa. Raszka już była. Siedziała z Penelopą w pierwszym rzędzie i machała do nas. Na szczęście zajęła nam kilka miejsc, bo oprócz taty towarzyszyła mi mama, babcia, dziadek, ciotka Lisbeth — i ku mojemu miłemu zaskoczeniu — Alex. Kiedy o wpół do ósmej wychodziliśmy z domu, mój chłopak czekał przed drzwiami i wcisnął mi do ręki lwi ząb. Oczywiście nie był to prawdziwy ząb, tylko żółty kwiatek,

który tak się nazywa. Uwieeeee-
eeeeeelbiam, kiedy Alex robi mi
prezenty. A gdy patrzy na mnie
swoimi zielonobrązowymi oczami, z zakochania kręci mi się
czasami w głowie. Teraz siedziałam w pierwszym rzędzie
między nim a Raszką. Alex
ziewał, bo po moim nocnym
telefonie już nie zasnął.

— Przykro mi — szepnęłam ze skruchą.

— Już dobrze — odrzekł Alex. A ja ściskałam jego
dłoń.

Moi rodzice siedzieli w rzędzie za nami, razem z babcią i dziadkiem. Ciotka Lisbeth usiadła mi na kolanach, sypiąc na dżinsy okruchy czekoladowego ro-
galika. Nagle odwróciła głowę w stronę drzwi auli
i krzyknęła:

— Lola, Raszka! Tam stoi Sol ze swoją grubą babcią!

Raszka również odwróciła głowę w stronę drzwi,
a babcia zachichotała zachwycona — oczywiście nie
Solem, lecz ciotką Lisbeth. Wiecie już z pewnością, że
moja ciotka ma trzy lata, ale nauczyła się mówić dopiero po naszych wakacjach w Brazylii. To przyszło
nagle. Pewnego sobotniego ranka siedzieliśmy przy
wspólnym śniadaniu i dziadek chciał się dowiedzieć,
czy miałybyśmy ochotę na przejażdżkę rowerami. Ja

przytaknęłam, a ciotka Lisbeth wytarła swoją umorusaną buzię w teletubisia i odrzekła:

— Chcę jechać do Rickmer Rickmers, tam będę mogła z Lolą i Raszką wspinać się na maszt, a to jest śmieszne i fajne.

Babcia z dziadkiem omal nie zemdleli. Przed wakacjami jedynymi słowami, które moja ciotka potrafiła prawidłowo wypowiedzieć, były „super" i „fajnie", i babcia zaczęła się już porządnie martwić. Teraz pogłaskała ciotkę po głowie i powiedziała:

— Moja duża dziewczynka, jestem z ciebie strasznie dumna!

Raszka machnęła do Sola i jego babci. Ona ma skórę jeszcze ciemniejszą niż papai i jest tak gruba, że potrzebuje dwóch miejsc. Sol wcisnął się na siedzenie obok Raszki i uścisnął jej dłoń. Bo oni też są zakochani.

Przez drzwi auli przechodziło coraz więcej ludzi. Zobaczyliśmy Fryderykę z Anzelmem i oczywiście tłum piątoklasistów, których jeszcze nie znaliśmy. A wszyscy wyglądali na równie zdenerwowanych jak ja. Kiedy sala wypełniła się po brzegi, zrobiło się ciemno. Z podłogi sceny wypełzła biała jak zjawa mgła. Ciotka Lisbeth zaczęła drżeć i rozgniotła czekoladowy rogalik. Nagle zapaliły się reflektory i zobaczyliśmy, że za bębnami stoją chłopcy i dziewczynki ubrani w czarne koszulki i czarne czapki baseballówki. Zaczęli wybijać dziki rytm, który wprawił całą aulę w drżenie. W większości wyglądali na przynajmniej dziesiątą klasę. Ale dwoje było szóstoklasistami, a ja ich znałam.

— Spójrz no! — pisnęłam Raszce w ucho. — Tam są Gloria i Fabio!

Gloria w tym roku kręciła z Raszką film i wtedy wywoływała we mnie potworną zazdrość. Ale w końcu się zaprzyjaźniłyśmy i teraz bardzo, ale to bardzo się cieszyłam, że będę chodzić do tej samej szkoły co ona. W dniu otwartym poznała mnie z Fabiem. Jego rodzice również pochodzą z Brazylii, podobnie jak papai Glorii. W dodatku tak się śmiesznie złożyło, że Fabio ma na imię tak jak mój tata.

Kiedy wyłowił mnie wzrokiem z tłumu, puścił do mnie oko. Wydawało się, że porządnie podrósł. Włosy też miał dłuższe. Jego mięśnie tańczyły pod skórą podczas bębnienia, a uśmiech stawał się coraz szerszy. Właśnie chciałam go odwzajemnić, kiedy Alex zaburczał:

— Czemu ta mrugająca małpa tak się do ciebie szczerzy? Zachowuje się tak, jakby grał tylko dla ciebie.

— Wydaje ci się! — zaprzeczyłam i nagle poczułam się nieswojo. Przypomniało mi się, że chłopcy już kiedyś się spotkali — na dyskotece dla dzieci w „Perle Południa". Alex był wtedy zazdrosny, bo Fabio ze mną zatańczył, i najwyraźniej właśnie to mu się teraz przypomniało. Jego oczy iskrzyły.

— Czy to nie ten Afrykanin, który się w tobie zabujał? — zapytał.

— On jest Brazylijczykiem — odrzekłam. — I wcale się we mnie nie zabujał. W dniu otwartym pokazywał mi szkołę i pomógł rozwieszać ogłoszenia, kiedy Śnieżka uciekła. Jest po prostu miły, jasne?

To, że Fabio powiedział Glorii, że jestem ładna, przemilczałam, tak samo jak fakt, że głowa zaczęła mnie od tego leciutko swędzieć. Babcia mówi zawsze, że „czego oczy nie widzą, tego sercu nie żal".

Aby odwrócić uwagę Aleksa, tak energicznie tupałam nogami do rytmu, że ciotka Lisbeth upuściła rogalik. Na szczęście zanim zdążyła krzyknąć, na scenie pojawiła się kolejna fala mgły, a zza kotar wyszły trzy dziewczynki: dwie brunetki i jedna blondynka, wszystkie z włosami natapirowanymi niczym lwie grzywy. Ubrane w obcisłe bluzki z błyszczącego złotego materiału, twarze miały umalowane niczym drapieżne koty. Tańczyły hip-hop do rytmu bębnów i wyglądały po prostu obłędnie. Szczególnie blondynka w środku — poruszała się jak profesjonalna tancerka, a ja z zachwytu dałam Raszce takiego kuksańca, że aż zapiszczała. Przypomniała mi się piosenka o nauce czytania, którą w „koziej szkole" śpiewaliśmy pierwszoklasistom na rozpoczęcie roku. Wtedy uważałam ją za naprawdę porywającą, ale teraz wydawała mi się kołysanką dla bobasa. Może Raszka myślała o tym samym, w każdym razie też wyglądała na przejętą. Za to Alex znowu burczał coś pod nosem, bo Fabio, zanim razem z innymi zniknął ze sceny, pomachał do mnie.

23

— To była grupa „Drum&Dance" pod kierownictwem Floriana Demmona — powiedziała dyrektorka, wprowadzając na scenę grupę nauczycieli. Skinęła na jednego z nich. Miał czarne loki i ciepły uśmiech, a ja pomyślałam, że skądś go znam!

Na dniu otwartym ubrany był w pomarańczowy T-shirt z czarnymi cyframi. Miałam wtedy nadzieję, że uczy matematyki i będzie moim nauczycielem. Dzisiaj włożył pomarańczową koszulę w białe paski, a do tego dżinsy i sportowe buty. Dyrektorka powiedziała, że pan Demmon uczy niemieckiego i muzyki. Pracuje w tej szkole dopiero od trzech miesięcy i wspólnie z panią Kronberg zajmie się piątą B. Pani Kronberg stała obok niego. Ubrana była w szarą garsonkę i dzięki swoim blond włosom przypominała mi moją poprzednią wychowawczynię, panią Wiegelmann. Och, jak bardzo chciałam być w piątej B! Myślałam o tym tak intensywnie, że nie zapamiętałam ani słowa z powitalnej przemowy pani dyrektor. A potem się zaczęło. Do przodu wystąpiły wychowawczynie piątej A. Fryzura tej z lewej przypominała miotełkę do kurzu. Natomiast ta z prawej wyglądała jak piłeczka z krótkimi rękami i krótkimi nóżkami.

Raszka szturchnęła mnie w bok:

— Czy ona przypadkiem nie uczy matematyki i francuskiego?

Przytaknęłam. Tę nauczycielkę również poznałyśmy podczas dnia otwartego i w tajemnicy nazwałam ją Rybą Rozdymkokształtną. W rzeczywistości jej nazwisko brzmi Schmidt-Möllendorf, ale Gloria nazywała ją Mölli. Podobno jest bardzo miła. Mimo to nie chciałam trafić do jej klasy. Chciałam iść do klasy pana Demmona i pani Kronberg! Ale najpierw pani Mölli Rozdymkokształtna zaczęła odczytywać listę swoich uczniów. Na scenie stali już nieznani mi Leonie Arenz i Tom Biedenkopf. Potem wywołany został Anzelm Ceesay. Jęknęłyśmy. Holender, chyba i my wylądujemy w klasie Ryby Rozdymkokształtnej i Miotełki do Kurzu. Po jedenastu kolejnych uczniach przyszła kolej na Sola Martineza. Po sześciu następnych Mölli poprosiła na scenę Fryderykę Schwertfeger, a potem wywołała Rachelę Geraldinę Lato. Raszka wstała, a ja patrzyłam na nią osłupiała. To, że moja najlepsza przyjaciółka ma na imię Rachela, oczywiście wiedziałam. Ale swoje drugie imię zupełnie przemilczała.

— To na razie — szepnęła, wstając. Penelopa mrugnęła do mnie, a mama położyła mi rękę na ramieniu.

Po Raszce na scenę weszły jeszcze Natalie Thomas i Angela Veloso. Hopla! Jak śmiesznie — nazywała się tak jak ja. Papai uśmiechnął się, a ja posadziłam ciotkę Lisbeth na miejscu Raszki.

— Teraz na mnie kolej — wyjaśniłam jej. Rzuciłam jeszcze rozżalone spojrzenie na wyluzowanego wychowawcę piątej B i już wstawałam. Dwie sekundy później klapnęłam z powrotem. Alex musiał mnie złapać, bo w przeciwnym razie leżałabym jak długa na

podłodze. Po Angeli Veloso nie wywołano mojego nazwiska, lecz jakiegoś Tobiasa Wackera. Po nim przyszła kolej na Verę Zoschke, a następnie Ryba Rozdymkoksztaltna i Miotełka do Kurzu zeszły ze sceny. Wraz z całą swoją klasą — do której JA nie należałam. Raszka rzuciła mi rozczarowane spojrzenie.

Mama szepnęła:

— A co to ma znaczyć?

Papai wzruszył ramionami, ciotka drapała się po głowie, a Alex trzymał mnie za rękę. Pięć minut później moje nazwisko zostało wywołane. Owszem, znalazłam się w klasie piątej B, dokładnie tak, jak sobie tego życzyłam. Pani Kronberg podała mi rękę, a pan Demmon uśmiechnął się do mnie serdecznie. Widziałam to jak przez mgłę.

 3.

Znajomy zapach
i spóźniona uczennica

— To jakaś pomyłka — powiedziałam do pani Kronberg, ocierając łzy. Inni uczniowie byli zajęci szukaniem miejsca. Ale MOJE miejsce było gdzie indziej!
— Powinnam znaleźć się w klasie z Raszką Lato, Fryderyką, Solem i Anzelmem! — wyjaśniłam.
Pani Kronberg zmarszczyła brwi.
— Ty jesteś Lola, prawda?
Przytaknęłam.
— Lola Veloso.
— No to jesteś we właściwej klasie — stwierdziła pani Kronberg. — A teraz poszukaj sobie miejsca, żebyśmy wreszcie mogli zacząć. — Jej głos brzmiał zdecydowanie, a wzrok wyrażał zniecierpliwienie. Nagle zupełnie przestała przypominać mi panią Wiegelmann.
— To w takim razie moi przyjaciele trafili do niewłaściwej klasy — wypaliłam. — Chcieliśmy zostać ra-

zem i mój papai przed wakacjami wszystko ze szkołą...

– Podział klas jest już ustalony i niestety nic się nie da zmienić! – przerwała mi nauczycielka. – Jestem pewna, że w piątej B będziesz czuła się jak w domu.

Zupełnie nie podzielałam jej pewności! Patrzyłam z powątpiewaniem na pana Demmona, który stał przy pulpicie obok pani Kronberg. Dwie dziewczynki w pierwszym rzędzie oparły się głowami i coś szeptały. Prawdopodobnie były najlepszymi przyjaciółkami, które przez całą szkołę podstawową siedziały w jednej ławce! Czułam się jeszcze gorzej niż w pierwszym dniu w klasie trzeciej B. Bo teraz miałam najlepszą przyjaciółkę, ale ona właśnie szukała sobie miejsca w innej klasie.

– Rozumiem, że jesteś zrozpaczona – powiedział pan Demmon. Jego brązowe oczy błyszczały ciepło. – Starych przyjaciół możesz widywać na wszystkich przerwach, choć pewnie w tej chwili nie wydaje ci się to wielkim pocieszeniem. A teraz usiądź, proszę, *okay?*

To ani trochę nie było *okay.* Ale co miałam zrobić? Ze zwieszoną głową powlokłam się do ostatniego rzędu, mijając po drodze papużki nierozłączki. Tam siedział tylko jeden chłopiec w niebieskiej baseballówce i machał. Ale nie do mnie. Zajął dla kogoś miejsce obok siebie i krzyczał:

– Tutaj, Marcel!

Usiadłam trochę dalej i gapiłam się w blat ławki. Chłopiec o imieniu Marcel miał ciemnobrązowe loki i usiadł między mną a kolegą w baseballówce. Zaczęli ze sobą rozmawiać, a do mojego nosa dotarł zapach, który najwyraźniej wydobywał się z brązowych loków. Mam bardzo wrażliwy węch. Pierwszego dnia w starej szkole czarne rozczochrane włosy Raszki cuchnęły rybą i było to bardzo, ale to bardzo obrzydliwe. Ale te ciemnobrązowe loki obok mnie w ogóle nie cuchnęły. Wręcz przeciwnie. Pachniały bardzo ładnie i to jakoś znajomo... jakby...

Wąchałam. Znałam tę woń. To jedyne, co w tej niewłaściwej klasie było znajome. Tylko nie wiedziałam SKĄD. Bardzo ostrożnie pochylałam się w stronę źródła zapachu. Marcel siedział do mnie tyłem, ale kiedy mój nos był już bardzo, bardzo blisko jego włosów, nagle odwrócił się w moją stronę. Bum! Nasze nosy zderzyły się ze sobą, a ja ze strachu omal nie spadłam z krzesła.

— Odbiło ci?! — najechał na mnie przestraszony chłopiec. Jego kolega wybuchnął śmiechem.

– Eee... – zaskrzeczałam. Wiedziałam już, czym pachniała ta głowa. Jabłkowym szamponem Aleksa. Ale nie mogłam tego wyjaśnić Marcelowi. Miał ładną twarz o niebieskich oczach, którymi patrzył na mnie jak na wariatkę. Niczym błyskawica wyskoczyłam z krzesła i usiadłam na drugim końcu rzędu, gdzie właśnie zajmowała miejsce dziewczynka w kremowej plisowanej spódniczce mini z futrzanym paskiem w kolorze malinowym i jeżynowej kamizelce. W jej miodowych włosach dostrzegłam srebrne spinki.

– Hi – powiedziała.

– Cześć – bąknęłam, pocierając plamę z czekolady na dżinsach.

Tymczasem wszyscy zdążyli już znaleźć sobie miejsce, a pani Kronberg życzyła nam dobrego dnia. Uff! To nie był dobry dzień. I nie zamierzał stać się lepszy, kiedy nauczycielka rozdała nam kartki i poprosiła, byśmy napisali na nich swoje imiona. Pan Demmon dodał, że możemy pomalować nasze wizytówki, jeśli mamy ochotę. W klasie zrobiło się cicho. Tylko papużki nierozłączki w pierwszym rzędzie chichotały, a chłopiec siedzący przy oknie pociągał czerwonym nosem.

– Obrzydliwość! – syknęła moja sąsiadka. Wyłożyła na ławkę piórnik z czarnej lakierowanej skóry i zaczęła malować swoją wizytówkę łososiowym flamastrem. Potem napisała na niej imię Dalila i całość ozdobiła błyszczącym miedzianym szlaczkiem.

No świetnie. W moim plastikowym różowym piórniku z księżniczką znajdowały się tylko nadgryzione kredki, wyłowione dzisiaj rano ze skrzynki z rupieciami. Z pewnością ich teraz nie wyjmę. Sąsiadki też nie chciałam prosić o pożyczenie czegoś do pisania, a miejsce z drugiej strony było puste.

— Proszę, weź to. — Pan Demmon podał mi brązowy piórnik ze skóry. — Możesz mi go oddać pod koniec lekcji.

Słowo „dziękuję" nie przeszło mi przez gardło, ale nauczyciel najwyraźniej wcale go nie oczekiwał.

W piórniku znajdowały się flamastry we wszystkich kolorach, jednak ja wybrałam czarny marker, wyskrobałam na kartce swoje imię i kiedy zastanawiałam się, czy obok nie narysować trupiej czachy, pani Kronberg zaklaskała i powiedziała, że musimy już kończyć.

Potem rozdała nam plan lekcji. Znajdowała się tam też informacja, z kim będziemy mieć poszczególne przedmioty. Pani Kronberg będzie nas uczyć geografii i angielskiego, Ryba Rozdymkokształtna — francuskiego i matematyki, a pan Demmon — niemieckiego i muzyki.

— Ale dzisiaj nie będzie jeszcze żadnych lekcji — powiedział pan Demmon. — Po przerwie trochę się poznamy.

Skrzyżowałam ręce na piersi i pomyślałam, że nie mam najmniejszej chęci kogokolwiek w tej klasie poznawać. Chciałam, aby pojawił się tu ktoś, kogo ZNA-

31

ŁAM. Ale zdążyłam już pojąć, że muszę to sobie wybić z głowy.

A jednak później moje życzenie się spełniło. Krótko przed przerwą do drzwi zapukała dyrektorka i poinformowała, że do naszej klasy dojdzie jeszcze jedna spóźniona uczennica. Oprócz miejsca obok mnie wszystkie inne były już zajęte. Znowu przypomniał mi się mój pierwszy dzień w koziej szkole. Wtedy Raszka przyszła spóźniona i usiadła obok mnie. Ja natomiast pragnęłam siedzieć obok innej dziewczynki. Dziewczynki, która wkrótce okazała się największą kozą w całej koziej szkole. Cóż mam powiedzieć? Po półtora roku moje ówczesne pragnienie się spełniło.

Spóźnioną koleżanką okazała się Anna Liza.

WIELKIE OBRĘCZE
I MAŁE GRUPKI

— Nie wierzę — powiedziała Raszka, kiedy na pięciominutowej przerwie wraz z innymi wpadła pod
drzwi piątej B.

— Biedna jesteś! — zawołał Sol.

Anzelm poparł jego słowa skinieniem głowy, a Fryderyka powiedziała:

— Dziwne. Przed wakacjami Anna Liza mówiła mi,
że zgłosiła się do Gimnazjum Hege.

— No to nie powiedziała ci prawdy — burknęłam.

Anna Liza najwidoczniej znała jeszcze jedną uczen-
nicę z piątej B. Siedziała teraz na moim krześle obok
Dalili i podziwiała jej głupi piórnik z lakierowanej
skóry.

Kiedy Fryderyka ją zawołała, Anna Liza nawet się
nie odwróciła.

— Jak ona się zachowuje! — syknęła Raszka.

— Jak zwykle — wymamrotałam, zastanawiając się, czy nie powinnam popędzić z Raszką do dyrektorki. Moi przyjaciele oczywiście pytali swoich nauczycieli, czy mogłabym jeszcze zmienić klasę. Ale uzyskali taką samą odpowiedź jak ja — i to samo z pewnością powiedziałaby też dyrektorka.

— Za to przynajmniej masz najfajniejszego nauczyciela — próbowała mnie pocieszać Fryderyka. — Moja siostra opowiadała, że on był kiedyś zawodowym tancerzem i że studiował muzykę w Nowym Jorku.

Siostra Fryderyki w zeszłym roku zdawała maturę w tej szkole. Raszka szturchnęła mnie zachęcająco.

— Zawodowy tancerz jako wychowawca to przecież świetna sprawa! My mamy tylko Rybę Rozdymkokształtną i Miotełkę do Kurzu.

Jednak uśmiech Raszki był wymuszony. A kiedy po przerwie moi przyjaciele wrócili do swojej klasy, czułam się jeszcze nędzniej.

— Ja i Dalila znamy się z przedszkola — szepnęła mi do ucha Anna Liza, kiedy przesunęła się z powrotem na swoje krzesło. — Miałabyś coś przeciwko, gdybyśmy od jutra zamieniły się miejscami? Wtedy mogłybyśmy z Dalilą siedzieć razem.

— Miejsca są już ustalone i nic się z tym nie da zrobić — odrzekłam zuchwale.

— No to nie, ty głupia krowo! — syknęła Anna Liza.

Pani Kronberg rzuciła nam ostre spojrzenie, a pan Demmon powiedział:

— Wstańcie i odsuńcie ławki na bok, tak by środek klasy był wolny.

Od razu zaczęło się dzikie suwanie, szuranie i chichotanie.

— Ale troszkę ciszej, jeśli mogę prosić — powiedziała pani Kronberg, kiedy dwóch chłopców przewróciło krzesła.

Pan Demmon położył na biurku stos papierowych obręczy wielkości hula-hoopu.

— A co to ma być?! — zawołała czarnowłosa dziewczynka o oczach w kształcie migdałów. Pani Kronberg siedziała za biurkiem i kartkowała papiery, jak gdyby to nie był jej pomysł.

— Zaraz zobaczycie — powiedział pan Demmon. Rozkładał papierowe obręcze na podłodze. Na każdej z nich napisana była nazwa jakiegoś przedmiotu: matma, muzyka, przyroda, geografia, historia, sztuka, WF, niemiecki, angielski, francuski. — Który z tych przedmiotów interesuje was najbardziej? — zapytał nauczyciel. — Jak się zdecydujecie, skaczcie na niego. Ale uwaga, może nie jesteście jedynymi.

Natychmiast wszyscy zaczęli skakać, przepychając się trochę, i po kilku sekundach wszystkie obręcze się zapełniły. Najwięcej osób znalazło się w obręczy WF-u, podczas gdy matma była niemal pusta — stała tu tylko jedna dziewczynka z brązowymi warkoczami i wyglądała na trochę zagubioną. Dalila i Anna Liza wraz z papużkami stanęły w obręczy ze sztuką, a ja posta-

35

nowiłam od razu znienawidzić ten przedmiot. Zresztą sama nic nie wybrałam, co od razu zauważył pan Demmon.

— Lolu, nie masz ulubionego przedmiotu? — zapytał mnie.

— Owszem — burknęłam. — Portugalski.

Pan Demmon uśmiechnął się pod nosem.

— To potem będzie coś dla ciebie. A teraz popatrzmy, kto z was ma wspólne hobby.

Na kolejnych papierowych obręczach napisane były takie słowa jak: piłka nożna, hokej, jazda konna, taniec, śpiew, teatr, fotografia... i mnóstwo innych.

— A jak ktoś ma wiele zainteresowań? — zapytała czarnowłosa dziewczynka o migdałowych oczach.

— To musi się zdecydować na jedno — odpowiedział pan Demmon.

— A jeśli komuś nie pasuje żadne z nich? — chciał wiedzieć chłopiec z zasmarkanym nosem.

— To skacze tutaj — odrzekł nauczyciel. Podał chłopcu chusteczkę i położył przed nim obręcz z napisem: „coś innego".

Tym razem głowa zaczęła mnie trochę swędzieć, bo każdego innego, normalnego dnia wiele z tych obręczy pasowałoby do mnie. Jednak dzisiaj nie był normalny dzień i dlatego zostałam w swoim kącie.

Marcel i chłopiec w baseballówce zdecydowali się na „hokej", papużki skoczyły na „śpiew", a czarnowłosa dziewczynka o migdałowych oczach najpierw wybrała „teatr", a potem przeniosła się na „piłkę nożną". Anna Liza spojrzała na Dalilę, która skoczyła na „coś innego", i podążyła za nią. Kiedy w ich obręczy znalazł się również chłopiec z zasmarkanym nosem, obydwie skrzywiły się z obrzydzeniem.

— Powiedzcie nam w takim razie, co jest waszym hobby? — poprosił pan Demmon.

— Ja badam owady — powiedział zasmarkany chłopiec.

Kilkoro dzieci zachichotało, Anna Liza i Dalila zmarszczyły nosy, a pan Demmon skomentował:

— To brzmi ciekawie. A jak jest z wami? — zwrócił się do dziewczynek.

— Moja pasja to design — odpowiedziała Dalila.

— Moja też — wypaliła Anna Liza i rozpromieniona spojrzała na Dalilę.

Halo? Anna Liza lubiła jazdę konną, a słowo „design" na bank słyszała po raz pierwszy w życiu. Co za żenada!

Na kolejnych obręczach wypisane były nazwy krajów.

— Zobaczymy, ile narodowości uzbieramy w tej klasie — powiedział pan Demmon. — Jeśli jedno z waszych rodziców pochodzi z innego kraju, to skaczcie na odpowiednie pole.

Kiedy położył w środku obręcz z napisem Brazylia, zmobilizowałam się i skoczyłam na nią. Czarnowłosa dziewczynka o oczach w kształcie migdałów wybrała Koreę, chłopiec w baseballówce Holandię, a kolega o ciemnej karnacji — Kubę. Dalila dumnie prężyła się na Stanach Zjednoczonych, a Anna Liza wyglądała tak, jakby i tym razem chciała podążyć za nią. Ale wzdychając, poczłapała na obręcz z napisem „Niemcy", a za nią udał się chłopiec z zasmarkanym nosem. Papużki nierozłączki również musiały się rozdzielić. Jedna skoczyła na Turcję, a druga na Włochy. Marcel, ku mojemu przerażeniu, dał susa na pole z Francją. Ojej, jabłkowy szampon i Francja to już dwie rzeczy, które łączą go z Aleksem. Mam nadzieję, że nie ma *maman* w Paryżu! Na niemieckim polu oczywiście działo się najwięcej, ale obręcz z Brazylią miałam tylko dla siebie — i to mi bardzo pasowało!

Na zakończenie pan Demmon i pani Kronberg oprowadzili nas po szkole. Pracownię muzyczną, komputerową, biologiczną i chemiczną znałam już z dnia otwartego, podobnie jak wielką kuchnię szkolną, która w tym roku została odnowiona.

Ale z pewnością nie odnalazłabym tych pomieszczeń sama. Ten budynek był przynajmniej dziesięć razy większy od koziej szkoły i nagle znowu wydałam się sobie całkiem malutka.

Gra pana Demmona w zapoznawanie się doprowadziła do tego, że utworzyły się małe grupki. Anna Liza maszerowała pod rękę z Dalilą, podczas gdy ja truchtałam obok dziewczynki z Korei. Miała na imię Sayuri i opowiadała mi, że jest fanką Kaki, brazylijskiego piłkarza. Ale słuchałam jej tylko jednym uchem i marzyłam, aby ten zakichany dzień wreszcie się skończył.

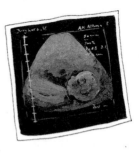

5.

CZARNY PIÓRNIK
I BRAK PIŁKI NOŻNEJ

— Tak mi przykro, Lolu, moja myszko — powiedziała mama, kiedy pół godziny później odbierała mnie ze szkoły. — Rozmawiałam nawet z dyrektorką na temat podziału klas, ale ona potwierdziła, że już nic się nie da zmienić. — Mama głaskała mnie po włosach. — Mimo to było chociaż trochę fajnie?

— Zmieńmy temat — burknęłam i pomachałam do Raszki, która dzisiaj po południu musiała iść z chomikiem Harmsem do weterynarza. Biedak znowu miał kaszel.

— No to proponuję babską wycieczkę, tylko matka i córka — powiedziała mama i skierowała się do samochodu. — Jeszcze dwie i pół godziny do wizyty u Franza. Papai jednak nie będzie mógł wyjść z restauracji, ale później do niego pojedziemy i wszystko mu opowiemy. A teraz zabieram cię do McDonalda. Masz ochotę?

— Nieee — wymamrotałam. Ale zaraz zaburczało mi w brzuchu. Mama zaśmiała się, a ja zmusiłam się do lekkiego uśmiechu. W Brazylii myślałam, że Franz jest tajemnym kochankiem mamy. Jednak potem okazało się, że Franz to skrót od imienia Franziska. To przyjaciółka babci i lekarka mamy. Dzisiaj pokaże nam *bolinhę* w telewizorze.

Jednak najpierw dotarłyśmy do McDonalda, gdzie zamówiłam big maca z frytkami i shake'a truskawkowego. Po jedzeniu poszłyśmy do domu towarowego, żeby poszukać fajnego piórnika. Na taki z lakierowanej skóry nie miałyśmy pieniędzy, ale znalazłam czarny z trupią czaszką, który uznałam za odpowiedni. Poza tym mogłam wybrać sobie jeszcze kalendarz uczniowski i kilka nowych pisaków. Mama była dziś najwyraźniej hojnie usposobiona.

Pogoda chyba też chciała poprawić mi humor. Świeciło słońce, powietrze pachniało latem, i kiedy chwilę przed wpół do czwartej wmaszerowałyśmy do gabinetu Franza, głowa swędziała mnie jak oszalała.

W poczekalni siedziały już trzy kobiety. Jedna z małym brzuchem, druga ze średnim, a trzecia z tak wielkim, jakby miała urodzić kaszalota. Co parę minut łapała się za brzuch i wydawała z siebie jęk. Mama musiała szturchnąć mnie w żebra, żebym wreszcie przestała się na nią gapić.

— Dzidziuś w środku kopie — szepnęła mi do ucha. — A takie kopnięcie może być dość mocne. Znam historię pewnej ciężarnej, która położyła sobie na brzuchu piłkę nożną. Kiedy dziecko kopało, piłka podskakiwała aż do sufitu.

Zachichotałam. Ach, mama i te jej historie!

Po kilku minutach mama kaszalota została poproszona do gabinetu. Następna w kolejce była pani ze średnim brzuchem, po niej ta najszczuplejsza, a potem wreszcie przyszła nasza kolej!

Franz miała krótkie srebrnoszare włosy i z uśmiechem podała mi rękę.

— O rany, jak ty urosłaś — powiedziała. — Ostatni raz, kiedy cię widziałam, robiłaś jeszcze w pieluchy.

Trochę się zawstydziłam.

— Czy możemy teraz obejrzeć telewizję? — zapytałam.

Franz się zaśmiała. Zaprowadziła mamę i mnie do ciemnego pokoju z białą leżanką. Przed nią stał monitor. Mama się położyła, rozpięła spodnie, podniosła T-shirt, a Franz chwyciła tubę.

— Fuj! — wykrzyknęłam, kiedy wycisnęła śluzowatą masę na goły brzuch mamy. Mama zachichotała.

— To żel do USG — wyjaśniła Franz. — Działa jak magiczny środek. Kiedy położę na nim głowicę, wszystko będziesz mogła zobaczyć.

Wzięła do ręki małe urządzenie, które kablem połączone było z monitorem. Wyglądało to jak ten elektryczny sprzęt, którym kasjerka w supermarkecie wprowadza ceny. Zaśmiałam się i wyobraziłam sobie, że brzuch mamy wart jest tysiąc milionów euro. Przynajmniej! Ale kiedy Franz tym dziwnym głowicoczymś lekko nacisnęła na posmarowany żelem brzuch, na monitorze nie pokazała się cena, lecz obraz. Najpierw widziałam tylko biało-czarne fale, które się przelewały, tak jakby ktoś z podwodną kamerą nurkował w morzu. Ale nagle pokazało się coś jeszcze. I nie była to piłka nożna ani kaszalot. To malutkie Coś, co bujało się w brzuchu mamy w tę i we w tę, wyglądało jak kosmita.

— Aaaa! — zapiszczałam.

Mama się przestraszyła i mały kosmita najwidoczniej też. Zwinął się w kulkę i obrócił do nas jak najbardziej ludzką pupą.

— Ciiii — syknęła Franz. — Dziecko wszystko słyszy. Prawdopodobnie myśli, że tu na zewnątrz jest jakiś potwór.

— Przepraszam — szepnęłam, włożyłam sobie pięść w usta i gapiłam się na tę tyciuteńką pupę. Jeszcze jej się nie da zawinąć w pieluszkę. Ale co, jeśli coś z niej wyszło? Mała kupka, że tak powiem? Jeśli tak, czy wyląduje w brzuchu mamy? Bleee! Kiedy się zastanawiałam, czy powinnam zadać to pytanie na głos, mały kosmita znowu się odwrócił i wtedy po raz pierwszy ujrzałam jego twarz. Miał oczy i uszy, buzię i malusieńki nos jak kartofelek. Rączki i nóżki okazały się cieniusieńkie, a stópki maciupeńkie niczym żelki. Ale wszystko było na miejscu. Mogłam rozpoznać każdy paluszek u nogi. Nagle ta istota przestała wydawać mi się kosmitą, lecz czymś, czym była naprawdę. Człowiekiem. Malutkim człowieczkiem.

— Chcesz też spróbować? — zapytała Franz. Chwyciła moją dłoń, objęła nią uchwyt aparatu i położyła na niej rękę. Bardzo powoli krążyłyśmy po brzuchu mamy. Widziałam, jak dziecko podnosi malusieńką rączkę do buzi. Najpierw paluszki były zwinięte w piąstkę, ale potem dłoń się otworzyła i dzidzia włożyła sobie kciuk do buzi.

— OOOOOOOOOO — szepnęłam.

Franz nacisnęła kilka przycisków i na monitorze pokazała się przerywana linia.

— Dwadzieścia centymetrów — oświadczyła Franz i mrugnęła do nas. — Moje gratulacje, możecie dzisiaj obchodzić święto centymetra.

Nie mogłyśmy powstrzymać się od śmiechu. Święto centymetra to wymysł babci i właściwie obchodzimy je tylko dla ciotki Lisbeth. Co dziesięć centymetrów nasz kucharz Flap piecze tort winogronowy i ciotka Lisbeth może rzucać zielonymi owocami. Przed wakacjami ciotka osiągnęła sto centymetrów. A dziecko w brzuchu mamy mierzyło dwadzieścia centymetrów. Dwadzieścia!

Krążyłyśmy dalej i nagle dzidziuś rozłożył nogi.

— No to mamy — powiedziała Franz i zaśmiała się cicho. — Widzisz, Vicky?

Lekarka nacisnęła jakiś przycisk. Obraz się zatrzymał.

— Widzę — szepnęła mama. — Ty też, Lola?

Wstrzymałam oddech.

Tak. Widziałam.

Franz wydrukowała zdjęcie i wcisnęła mi je w rękę. Ucałowałam je i przycisnęłam do piersi, pocałowałam je znowu i pomyślałam, że z najbardziej zakichanego poranka zrobił się najpiękniejszy dzień mego życia.

Wiedziałam już, kim będę.

Bo ten mały człowiek w mamy brzuchu był...

JEDNO PRZYJĘCIE
I TRZY BUKIETY KWIATÓW

— ...*um menino?* — szeptał papai. Zaraz po wizycie u Franza pojechałyśmy z mamą do „Perły Południa". Restauracja tętniła życiem, bo dziadek wprowadził *happy hour.* Znaczyło to „szczęśliwa godzina" i polegało na tym, że między siedemnastą a osiemnastą goście otrzymywali napoje i przekąski za połowę ceny. Prawie wszystkie stoliki były zajęte, ale papai patrzył tylko na tę malutką istotkę na zdjęciu z badania. Ocierał łzy szczęścia. — *Um menino?* — powtarzał. — Czy to rzeczywiście prawda?

Przytaknęłyśmy. Penelopa klaskała w dłonie, dziadek gwizdał przez zęby, a z kuchni przybiegli Flip i Flap. Flip to pomocnik kucharza. Pochodzi z Afryki, jest wielki i gruby, podczas gdy nasz brazylijski kucharz Flap jest mały i chudy.

— *Parabéns!* — zawołał Flap. To znaczy „serdeczne gratulacje".

Papai uklął przed mamą.

— *Meu filho* — powiedział do jej brzucha. — *Meu príncipe.*

Śmiałam się radośnie. „*Meu príncipe*" znaczy „mój książę". „*Meu filho*" — „mój syn", a „*um menino*" — „chłopiec".

— Hej, Fabio! — zawołał jeden z gości. — Jesteś głuchy czy dostaniemy wreszcie nasze piwa?

— Piwo gratis! — krzyknął papai. — Kolejka na koszt firmy dla każdego! Albo caipirinha. Albo szampan! Zostanę ojcem!

— Chwila, moment! — Oburzona uszczypnęłam tatę w brzuch. — Ty JESTEŚ ojcem!

— Zgadza się, Cocada — odpowiedział papai i dał mi całusa. — Jestem ojcem dziewczynki. A teraz będę też ojcem chłopca.

— Miejmy nadzieję, że jeszcze nie w tej chwili — powiedziała mama i założyła ręce na brzuchu. — To byłoby trochę za wcześnie.

— Chcę zadzwonić do Raszki — rzekłam. — I do Aleksa. I do babci. I ciotki Lisbeth. I...

— Dzwoń, do kogo chcesz — odparł papai. — Dzisiaj świętujemy! Macie jakieś propozycje na kolację?

Mój brzuch był jeszcze pełen jedzenia z McDonald's, ale wiedziałam, że zanim pojawią się nasi goście, na pewno znowu zrobi się w nim miejsce.

Zażyczyłam sobie dynię z okrą* i rogalikami, moją ulubioną prukającą fasolę, która po portugalsku nazywa się *feijoada*, anielskie delicje Flapa *papos-de-anjo* i *bem casado*. To waniliowe ciasteczka, a ich nazwa znaczy „szczęśliwie poślubieni", co w przypadku mamy i taty zgadza się od naszej podróży poślubnej. Druga zabawa weselna w „Perle Południa" odbyła się niespełna dwa tygodnie temu – a już mamy nowy powód do świętowania.

Penelopa zamówiła dla Raszki brazylijskiego sztokfisza, a mama chciała niemieckiego rolmopsa. Papai od razu wysłał dziadka do najbliższego sklepu rybnego.

– Czy to konieczne? – marudziłam.

– Znam historię kobiety, która przez całą ciążę miała ochotę na pieczone żabie udka – odparła mama. – Może to byś wolała?

– Nie, dziękuję – burknęłam i posłałam swoją ropuchofobię do diabła. Potem pobiegłam do telefonu. Nasi goście na odświętną kolację pojawili się punktualnie: Raszka przyszła z Solem i Glorią, babcia z ciotką Lisbeth i torebką pełną zielonych winogron, Alex ze swoim tatą Jeffem i bratem Pascalem, który jest rok starszy od mojej ciotki i rok temu obciął jej włosy nożyczkami do papieru. Ale od wakacji blond loki Lis-

---

* Okra — roślina jednoroczna, której jadalną częścią są zielone, pokryte meszkiem owoce w kształcie ptasiego dzioba.

beth znowu kręciły się prawie do ramion, podczas gdy włosy Pascala były obcięte na jeżyka. Jeff jak zwykle miał włosy do ramion, a w rękach niósł kwiaty. W prawej ręce żółte słoneczniki, a w lewej ciemnoczerwone róże.

— Na cześć syna — powiedział do mamy i wręczył jej bukiet słoneczników. Penelopa otrzymała czerwone róże, a kiedy Jeff szeptał jej coś do ucha, zrobiła się równie czerwona. Alex do mnie mrugnął. Jako słynny krytyk kulinarny Jeff jeszcze rok temu był naszym największym wrogiem. Tak bardzo zdenerwował Penelopę, że z wściekłości wylała mu na spodnie szklankę pełną kostek lodu. Ale potem stał się naszym najlepszym gościem i najgorętszym wielbicielem Penelopy. Przed wakacjami po raz pierwszy poszła z nim na kolację. Co jeszcze między nimi zaszło, nie wiem. Ale nagle zaczęło mnie to ogromnie interesować.

— Czy oni się już całowali? — szepnęłam Aleksowi do ucha. Wzruszył ramionami. Kiedy zadałam Rasce to samo pytanie, odburknęła tylko:

— Bez komentarza. — Westchnęłam. Moja najlepsza przyjaciółka robi ze wszystkich możliwych spraw ogromną tajemnicę i czasami potwornie mnie to denerwuje.

Kiedy Alex zapytał, jak przetrwałam pierwszy dzień w szkole, również odburknęłam:

— Bez komentarza.

Nie miałam najmniejszej ochoty psuć sobie dobrego nastroju. Za to następny gość popsuł dobry humor Aleksa.

— Toast za małego braciszka Loli — zaproponował papai i właśnie chcieliśmy stuknąć się szklankami, kiedy otworzyły się drzwi restauracji. Do środka wmaszerował Fabio. Trzymał w ręce kolorowy bukiet i szedł z nim prosto do mnie. Usta miałam pełne prukającej fasoli i przy braniu oddechu omal się nie zadławiłam.

Alex z hukiem odstawił na stół swoją szklankę z colą.

— A co to znaczy? — syknął mi do ucha.

Ojej! Też bym to chciała wiedzieć. W każdym razie ja nie dzwoniłam do Fabia. Robiło mi się na przemian gorąco i zimno i z tego powodu to się czerwieniłam, to bladłam. Ale ponieważ z ustami pełnymi prukającej fasoli z trudem można mówić, wzruszyłam tylko ramionami.

— *Parabéns pelo seu irmão mais novo* — powiedział Fabio i wręczył mi kwiaty. Znaczyło to: „serdecznie

gratuluję ci braciszka". Potem spojrzał na Aleksa i lekko się wzdrygnął. Najwyraźniej przypomniał sobie dyskotekę dla dzieci, kiedy to Alex pojawił się jako niespodziewany gość i zamówił u Penelopy wolną piosenkę, żeby ze mną zatańczyć. Fabio wyglądał wtedy na speszonego sytuacją — dokładnie tak samo jak teraz. Pamiętałam jeszcze syczenie w głosie Aleksa, kiedy mówił: „On najwyraźniej bardzo cię lubi". Wtedy jego zazdrość nawet mi się podobała, ale teraz trochę mnie zirytowało, że przeszłość wplotła się w naszą małą uroczystość i wszystko popsuła. Nie chciałam mieć przy sobie zazdrosnego Aleksa i zakłopotanego Fabia. Pragnęłam tylko wznieść toast za mojego malutkiego brata — wraz ze wszystkimi przyjaciółmi!

Tymczasem patrzyłam na kwiaty od Fabia, a w głowie kłębiły mi się głupie myśli.

— Eee... dziękuję — wyjąkałam w końcu i poczułam, jak Alex przy mnie zesztywniał. — Ale... eee... Skąd wiesz, że będę mieć brata? — zapytałam.

Teraz Gloria się zaczerwieniła. Patrzyła to na Aleksa, to na mnie, i zrobiła skruszoną minę.

— Ja do niego zadzwoniłam po twoim telefonie — szepnęła mi po portugalsku. — Nie mogłam przecież wiedzieć, że twój chłopak jest taki zazdrosny.

— Co ona powiedziała? — dopytywał się wściekły Alex.

OJEJ! Szukając pomocy, zezowałam na Raszkę. Pascal, który siedział jej na kolanach, zapytał:

51

– Czy to jest cichy wielbiciel Loli?

Penelopa nie mogła ukryć uśmiechu, a Raszka trzepnęła Pascala w głowę. Ciemna skóra Fabia również się zaczerwieniła, a Alex patrzył na niego takim wzrokiem, jakby chciał go wystrzelić w kosmos.

– Gdyby nie było tutaj twoich rodziców, tobym mu... Nie skończył, bo papai podsunął Fabiowi krzesło.

– Usiądź z nami – zaproponował. – I zjedzmy, zanim wszystko wystygnie.

Papai odnosi się uprzejmie do wszystkich gości naszej restauracji, a Fabio ostatecznie też był jednym z nich, chociaż nieproszonym. Ku mojej uldze najwyraźniej stało się to dla niego jasne.

– Dziękuję – odpowiedział. – Muszę niestety zjeść kolację w domu. A więc bawcie się dobrze i cześć.

– I cześć! – krzyknęła ciotka Lisbeth i rzuciła winogronem w głowę Fabia.

– Przestań! – powiedział ostro papai, ale babcia wzięła swoją najmłodszą córkę w obronę.

– Ciotka Lisbeth nie rzuca ani fasolą, ani groszkiem, ani rolmopsami. Rzuca tylko zielonymi winogronami.

– I tym samym trzyma się reguł gry – dodał dziadek.

– Ciotka Loli może rzucać jedzeniem?! – krzyknął Pascal. – Fajnie!

Skoczył na równe nogi, chwycił całą kiść winogron i zbombardował sąsiedni stolik, przy którym siedziało starsze małżeństwo.

Bum!... przewrócił się kieliszek szampana, a Pascal zaryczał:

— GOOL!

OJEJ! Papai zerwał się z miejsca, a spojrzenie, które rzucił Pascalowi, było tak ponure, że młodszy brat Aleksa natychmiast wpełzł na kolana Jeffa.

— Następna osoba, która w mojej restauracji rzuci choć jedno jedyne winogrono — zasyczał papai — dostanie zakaz wstępu!

— Ale restauracja tylko w połowie należy do ciebie — poprawiła go ciotka Lisbeth. — Druga połowa należy do mojego taty i o niej nie możesz decydować.

Popatrzyła na dziadka, który omal nie wybuchnął śmiechem. Pascal natychmiast zaczął zezować w stronę winogron, ale papai zrobił tak srogą minę, że dziadek powiedział do obojga dzieciaków:

— W mojej połowie obowiązują te same zasady. Rzucanie jedzeniem jest od teraz zabronione w całej „Perle Południa".

Ciotka Lisbeth się nadąsała.

— „Perła Południa" to całkowita klapa — mruknął Pascal. Całe szczęście tak cicho, że tylko ja i Raszka to słyszałyśmy. Raszka pociągnęła go za ucho i wreszcie się uspokoił.

Papai przeprosił gości i podarował im butelkę szampana na koszt restauracji. Jeff od razu wyciągnął portfel, ale papai pokręcił głową.

— W końcu moi teściowie na to pozwolili — burknął. Potem wzniósł kieliszek. — A teraz wypijmy za zdrowie małego księcia, który niedługo do nas dołączy.

Wreszcie wszyscy wznieśliśmy toast. Ale Alex przez cały wieczór nie odezwał się ani słowem.

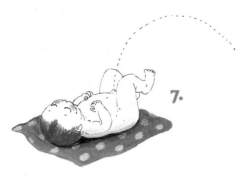

GŁOŚNE ŁAJANIE
I SAME PYTANIA

Kiedy przed pójściem spać jeszcze raz zadzwoniłam do Aleksa, miał w zanadrzu całą kanonadę słów. Kontynuował od miejsca, w którym zatrzymał się w „Perle Południa".

– Gdyby nie było tam twoich rodziców, wsadziłbym Fabiowi jego kwiaty w gębę. Najpierw uśmiecha się do ciebie jak zakochany jamnik, potem przynosi ci kwiaty. Może następnym razem się oświadczy?

Śnieżka leżała mi w nogach i ogryzała mój duży palec jednej ze stóp.

– Hej, przestań mnie łaskotać! – Zachichotałam.

– Co? Czy ty masz nierówno pod sufitem?!

– Nie ty – odrzekłam pośpiesznie. – Miałam na myśli Śnieżkę. Stała się taka ufna. Myślę, że naprawdę mnie lubi.

– No, nie tylko ona – warknął Alex.

Westchnęłam.

— Nie przesadzaj. Fabio chciał być tylko uprzejmy. Twój tata też przecież przyniósł mojej mamie kwiaty.

— Tańczyłaś z nim!

— Alex zaczął od początku. — I gdybym nie przyszedł, to...

— ...następny kawałek zatańczyłabym z Solem. Albo z Anzelmem. Albo z Raszką. O czym ty w ogóle mówisz?! W Paryżu ciągle przybiega do ciebie Marie-Mu. To z jej powodu kiedyś całymi tygodniami do mnie nie dzwoniłeś, jeśli wolno mi przypomnieć!

To „jeśli-wolno-mi-przypomnieć" pożyczyłam od mamy. Mówi tak czasami do taty, kiedy chce postawić na swoim podczas kłótni. Wtedy papai wzdycha i daje spokój.

Ale niestety Alex nie odpuścił.

— Bardzo dobrze pamiętam, dlaczego do ciebie nie dzwoniłem — odrzekł. — Bo mama mi zabroniła. A Marie-Lu udziela mi korepetycji. Kiedy do mnie przychodzi, w ręku trzyma książkę do matmy, a nie bukiet kwiatów. A mimo to nieźle ją zbeształaś, jeśli mnie wolno przypomnieć ci O TYM.

Holender! Pamiętałam. To było w Paryżu podczas naszego międzylądowania w drodze do Brazylii. „Zbeształam" to za mało powiedziane. Kiedy Marie-Mu stanęła przed drzwiami Aleksa, zachowałam się jak wściekła waleczna koza. Nie wiedziałam już, co jeszcze mogę powiedzieć, żeby go uspokoić. Śnieżka ułożyła mi się na kolanach i mruczała, kiedy ją głaskałam. Po drugiej stronie słuchawki również panowała cisza.

Potem w uchu zadźwięczał mi głos Aleksa:

— Nigdy więcej go nie dotykaj albo przepuszczę cię przez maszynkę!

Wzdrygnęłam się tak silnie, że Śnieżka zeskoczyła z łóżka.

— A ty masz równo pod sufitem?!

— To nie do ciebie — odrzekł szybko Alex. — Mówiłem do Pascala. Ten gnojek znowu wsadzał łapy do mojego odtwarzacza CD. Wczoraj wsunął do niego kawałek pizzy.

— Nie jestem żadnym gnojkiem, ty gówniarzu! — ryknął w tle Pascal.

Zachichotałam, a Alex westchnął:

— Miejmy nadzieję, że twój młodszy brat nie będzie tak nerwowy jak mój.

W tej chwili głowa znowu zaczęła mnie swędzieć. Na dziewczynkach dzidziusiach się znałam, bo ciotka Lisbeth też kiedyś była dzidziusiem. Ale wtedy mieszkaliśmy jeszcze w Klötze, a teraz prawie w ogóle nie mogłam sobie przypomnieć, jaka była jako niemowlak. O małych braciach nie miałam w ogóle pojęcia.

— Jak właściwie wyglądał Pascal, kiedy się urodził? — zapytałam Aleksa.

— Hmm — odparł Alex. — Jeśli chcesz wiedzieć dokładnie, to wyglądał jak pomarszczony łysy krasnal z okruchami sera na czole.

Skrzywiłam się. Obrzydliwe.

— A przewijałeś go, jak był mały? — pytałam dalej.

— Przestań — mruknął. — Raz spróbowałem, ale ten pędrak wielkim łukiem nasikał mi na twarz.

— Fuj! — zapiszczałam. — Ale jak on to zrobił?

Alex chrząknął.

— No, swoim, hmm...

— Och — powiedziałam i poczułam, że się czerwienię. — Masz na myśli jego...

— Tak, nim — odrzekł Alex. — Dlatego też mówimy na niego siusiak.

Wybuchłam śmiechem.

— A jak duży jest taki siusiak?

— Hmm... — Alex się zamyślił.

— Mam na myśli u bobasa, oczywiście — dodałam szybko.

— Mały — odpowiedział Alex.

— Jak mały?

Alex westchnął.

— *Okay*, powiedzmy, że taki jak fistaszek.

Znowu musiałam zachichotać.

— I taki fistaszek może sikać wielkim łukiem?

— Poczekaj trochę, a zobaczysz — poradził Alex.

Ale ja nie chciałam czekać! Chciałam być przygotowana. Na co jeszcze powinnam uważać?

— A jak duże są te... no te...?

— Taaak? — W głosie Aleksa słychać było rozbawienie.

— No wiesz przecież — wymamrotałam. — Mam na myśli... no te... No powiedz już. Jak duże one są u bobasa?

— Mniej więcej takie jak winogrona — odpowiedział Alex. — I mniej więcej milion razy wrażliwsze. Rzucanie zabronione, jeśli rozumiesz, co mam na myśli. I mocne wycieranie do sucha, kiedy twój brat się zsiusia, też powinnaś sobie darować. Czy już wystarczy?

„Nie — pomyślałam. — Nie wystarczy. To dopiero początek". Nie miałam pojęcia, co mnie czeka!

— A Pascal jaki był jako niemowlak? — dociekałam.

— Taki — odrzekł Alex i najwyraźniej odsunął słuchawkę od ust. W tle rozległ się dziki krzyk.

— *Okay* — odparłam. Ciotka Lisbeth też potrafiła głośno krzyczeć. Ale poza tym była przesłodka jako dzidziuś i strasznie ją kochałam. Mojego młodszego brata też będę kochać, czułam to przez skórę.

Powiedziałam Aleksowi „dobranoc" i leżąc już w łóżku, zamieniłam się w sławną zaklinaczkę niemowląt Lalę Lu. Tym razem wymyśliłam przewijak dla chłopców. Miał szybę ochronną z pleksiglasu, a w niej dwa otwory, przez które można było włożyć ręce podczas przewijania. Od wewnętrznej strony szyba miała wycieraczki. W ten sposób chłopcy dzidziusie mogli bez zahamowań na nią siusiać, a mamy podczas przewijania nie musiały bać się o makijaż. Wszyscy byli szczęśliwi. Ja jednak miałam myśli zaprzątnięte czymś innym. Pytaniem, które chodziło mi po głowie od dzisiejszego popołudnia: jak powinnam przygotować się do roli starszej siostry młodszego brata? Czy ja w ogóle kiedyś przewijałam ciotkę Lisbeth? Nie mogłam sobie tego przypomnieć. Wielkim łukiem w każdym razie na pewno nie siusiała, bo do tego trzeba mieć fistaszka. Prawdopodobnie można nim też wysiusiać w śniegu swoje imię, podlewać kwiatki lub topić mrówki, ale teraz nie o to chodziło. Rzecz w tym, jak będę przewijać mojego brata. I wycierać. I karmić. I tulić, na przykład wtedy, gdy będzie go bolał brzuch albo będzie miał biegunkę czy napad płaczu. Czy bracia dzidziusie płaczą inaczej niż ciotki dzidziusie? Czy oni od czego innego dostają rozstrojów lub rozwolnień – i czy one wtedy też wychodzą wielkim łukiem? Ojej!

Nasuwało mi się coraz więcej pytań, które nie pozwalały mi zasnąć przez pół nocy. I myślałam, że jak tak dalej pójdzie, to dostanę rozstroju z rozwolnieniem. Przewracałam się z prawego boku na lewy i z lewego boku na prawy i dopiero kiedy chwilę po drugiej poszłam do kuchni po szklankę mleka, nagle doznałam olśnienia.

Starsza siostra zaopiekuje się Waszymi nowo narodzonymi synami!

8.

ROZWIĄZANIE I PROBLEM

— CO chcesz zrobić?! — Raszka patrzyła na mnie z niedowierzaniem. Na długiej przerwie spacerowałyśmy z Glorią i Fabiem po podwórku szkolnym. Na temat wczorajszego wieczoru nie zamieniliśmy nawet słowa. Fabio tylko się uśmiechnął, a ja odwzajemniłam jego uśmiech i tym samym wszystko zostało powiedziane.

— Chcę poszukać sobie pracy jako opiekunka do dzieci — powtórzyłam. Po tym olśnieniu od razu wczoraj zasnęłam. Kiedy dzisiaj rano pani Kronberg pisała na tablicy angielskie słówka, intensywnie o tym rozmyślałam. Opiekunek szuka przecież wielu rodziców. Musiałam tylko znaleźć takich, którzy mieli małych chłopców. Na nich można by poćwiczyć. A kiedy mój brat przyjdzie na świat, będę na wszystko przygotowana.

— A jak chcesz znaleźć taką pracę? — zapytał Fabio.

— Powieszę ogłoszenie na tablicy — oświadczyłam.
— Tytuł mógłby brzmieć: „Starsza siostra zaopiekuje
się Waszymi nowo narodzonymi synami". Czy może
powinnam opuścić „nowo naro-
dzonymi"?

Gloria z uśmiechem od-
garnęła sobie z czoła ru-
dobrązowe loki, a Raszka
postukała się w czoło.

— Powinnaś odpuścić
cały ten pomysł. Po pierwsze, nie masz doświadcze-
nia z nowo narodzonymi
synami, po drugie, ten tytuł
brzmi całkowicie absurdalnie,
a po trzecie, to będzie totalny obciach, jeśli będziesz się
ogłaszać jako opiekunka do dzieci na tablicy naszej
szkoły! To my tutaj potrzebujemy opiekunki.

— Hmm — burknęłam i rozejrzałam się dookoła.
Większość uczniów na podwórku szkolnym była od
nas przynajmniej o trzy głowy wyższa. Nie skakali na
skakance i nie grali w słup soli jak dzieciaki na podwórku koziej szkoły, lecz stali w grupkach i wciskali
przyciski w telefonach komórkowych lub odtwarza-
czach muzyki i rozmawiali. Prawie wszystkie dziewczęta były umalowane i miały już prawdziwe piersi.
Kilku chłopców nosiło kozią bródkę. Nawet Dalila,
która paradowała po podwórku w srebrnych leggin-

sach i turkusowej koronkowej minispódniczce, wydała mi się przy nich malutka. Jak krasnal ogrodowy, który przebrał się za gwiazdę pop. Anna Liza chwyciła ją pod rękę. Włosy miała uczesane jak Dalila wczoraj – spięte srebrnymi spinkami – a jej różowa spódnica wyglądała jak odwrócony tulipan.

Dwie starsze dziewczyny obejrzały się za nimi i uśmiechnęły dość nieprzychylnie.

– Może masz rację, Raszko – wymamrotałam rozczarowana. – Ale mimo to...

– ...twój pomysł jest świetny! – Fabio skończył moje zdanie. – Możesz przecież rozwiesić ogłoszenia gdzie indziej. W przedszkolach lub sklepach dla niemowląt albo...

– ...w szpitalu mamy i księgarni babci! – przytaknęłam zachwycona. – To genialne, Fabio!

– Masz jakieś fajne zdjęcie? – zapytała Gloria.

– Zdjęcie? – zmarszczyłam czoło. – Jakie zdjęcie?

– No, twoje. – Gloria zmierzyła mnie wzrokiem. – No, że tak powiem, do oferty.

– Mam kilka zdjęć z wakacji w Brazylii – odrzekłam. – I zdjęcie klasowe z podstawówki.

Gloria pokręciła głową.

– Potrzebujesz czegoś profesjonalnego – odparła. – W końcu musisz robić dobre wrażenie. Znasz dobrego fotografa?

Obok nas pojawiła się Fryderyka z Solem, którzy najwidoczniej słyszeli naszą rozmowę.

— Zapytaj Olafa Wildenhausa — zaproponował Sol, patrząc to na mnie, to na Fryderykę. — On na pewno zrobi ci zdjęcie.

Olaf Wildenhaus był fotoreporterem i ojczymem Fryderyki.

— Nie da się — odpowiedziała Fryderyka. — Olaf jest w Monachium i robi właśnie reportaż o drużynie narodowej.

— Ja znam dobrą fotografkę! — powiedział Fabio. — Moja siostra Graziella urządziła w naszym garażu własne studio fotograficzne. A w jednym szkolnym konkursie jej zdjęcie wygrało drugą nagrodę.

Oczy Fabia lśniły, ale nagle jego wzrok stał się nieco niepewny, jakby powiedział za dużo. Mnie zrobiło się słabo — ale nie z powodu jego siostry, lecz zdjęcia konkursowego.

— Pokazywałeś mi tę fotkę — wymamrotałam.

— No tak. — Fabio się uśmiechnął. — Ropucha. Prawie zemdlałaś.

— Lola ma fobię — wyjaśniła Raszka.

— Wiem — odparł Fabio. Kopnął puszkę po coli, która leżała na ziemi. Potem mrugnął do mnie. — Nie martw się, to zdjęcie siostra już komuś podarowała. Teraz robi tylko portrety ludzi. Graziella kompletuje właśnie swoje portfolio i ciągle szuka dobrych modeli.

— Naprawdę? — zapaliłam się.

— Mogę ją zapytać, jeśli chcesz. Chyba że... — Fabio przechylił głowę — ...twój chłopak miałby coś przeciwko.

— Bzdura — powiedziałam, zanim się zastanowiłam, a potem krzyknęłam z bólu, bo Raszka nadepnęła mi na stopę. Nic nie powiedziała i wcale nie musiała. Bo kiedy Fabio na następnej przerwie poinformował mnie, że jego siostra znajdzie trochę czasu w poniedziałek po południu i że zaraz po lekcjach mogłabym z nim pójść do ich domu, Raszka miała wypisane na czole, co o tym sądzi.

— Wszystko mu opowiem — zapewniłam ją w drodze ze szkoły. — Przecież nie ma w tym nic złego.

Raszka zmarszczyła nos i powiedziała:

— Baw się dobrze, Lola.

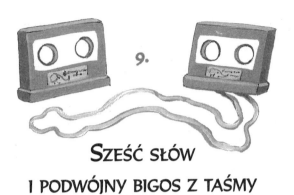

SZEŚĆ SŁÓW
I PODWÓJNY BIGOS Z TAŚMY

— CO musisz?! — zapytał Alex, kiedy po południu przycupnęłam u niego na biurku. To był jedyny wolny skrawek mebla w jego części pokoju. Na łóżku piętrzył się olbrzymi stos podręczników, niebieski worek do siedzenia zawalony był stertą ubrań, a na podłodze poniewierały się: deskorolka, trampki, klapki, mokry ręcznik, puszki po coli, paczka po czekoladowych chrupkach, naderwane pudełko po pizzy, puste kubeczki po lodach, poradnik astrologiczny, leksykon zwierząt, dwa plecaki, wyschłe plasterki salami, słuchawki, płyty DVD i CD, mniej więcej pół zawartości zmywarki i *Księga rekordów Guinnessa* — w której Alex zasłużył na odnotowanie ze względu na największy na świecie bałagan.

Druga część pokoju odgrodzona była niebieską zasłoną. Należała do Pascala, który był z kolei superporządny, może dlatego że potrafił przez cały dzień zajmować się jedną rzeczą. W każdym razie teraz za niebieską kotarą już po raz dziewiąty leciała kaseta *Słoń Benjamin i Święto Lodowego Spaghetti*. Alex to policzył i zagroził bratu, że przy następnym „tiriii" wyrzuci go z pokoju. Ale Pascal stwierdził przytomnie, że w tym celu musiałby otworzyć drzwi, a to było zabronione, bo Jeff powiedział, że dopóki pokój nie zostanie wysprzątany na cacy, drzwi muszą pozostać zamknięte, i to od środka. Ja jeszcze zdołałam się wcisnąć — i niewykluczone, że popełniłam błąd.

Gdyby Alex zapytał mnie najpierw: „No, jak było w szkole?", mogłabym mu opowiedzieć wszystko, co się da. Na przykład o Dalili i Annie Lizie, które za moimi plecami wymieniły na karteczkach przynajmniej połowę powieści. Albo o chłopcu, którego włosy pachniały jabłkowym szamponem i który dzisiaj parę razy głupio się do mnie uśmiechnął. Lub o Mölli Rozdymkoksztaltnej, która nas uczyła, że we Francji księżyc jest rodzaju żeńskiego, a słońce męskiego. Lub

o Sayuri, dziewczynce z Korei, która została zbesztana przez panią Kronberg za jedzenie podczas lekcji. Lub o moim pomyśle pracy jako opiekunka do dzieci, który przemyślałam do końca podczas angielskiego. Ale Alex nie zapytał, jak było w szkole. Jego pierwsze pytanie brzmiało:

— Pójdziemy w poniedziałek po południu do wesołego miasteczka?

Moja odpowiedź najwidoczniej zbiła go z tropu. Bo w innym razie z pewnością nie spytałby: „CO musisz?!".

— W poniedziałek po południu muszę iść do fotografa — powtórzyłam, czując, że się czerwienię.

Na szczęście Alex był zajęty swoim trampkiem.

— Robisz teraz reklamę czy co? — zapytał, przesypując porcję czekoladowych chrupek z trampka do pustego pudełka po pizzy.

— Coś w tym rodzaju — odparłam. — Dziewczyna z naszej szkoły potrzebuje fotomodelki do przygotowania portfolio. A ja potrzebuję zdjęcia do mojego ogłoszenia.

Teraz mogłam przynajmniej opowiedzieć Aleksowi o swoim pomyśle pracy jako opiekunka, a tym samym odwrócić jego uwagę.

Ale najwyraźniej nieszczególnie go to interesowało.

— Hm, hm — chrząknął tylko. Chwycił skórkę pizzy i wycelował do kosza, ale trafił w krawędź. Skórka wylądowała na mokrym ręczniku.

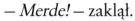

— *Merde!* — zaklął.

— Obrzydliwość — stwierdziłam.

— A skąd znasz tę dziewczynę? — Alex wsadził skórkę wraz z ręcznikiem do worka na brudną bieliznę.

„To siostra Fabia". Trzy proste słowa, których nie umiałam wypowiedzieć. Nagle przypomniała mi się twarz Raszki i myśl, którą odczytałam z jej czoła: „Będzie awantura". A tego nie chciałam. Chciałam tylko mieć ładne zdjęcie, które dałoby się umieścić w ogłoszeniu. Pragnęłam też spędzić miłe popołudnie z Aleksem. Ale jeśli powiedziałabym jedno, to o drugim mogłabym zapomnieć. Zatem postanowiłam powiedzieć trzy inne słowa.

— Jest przyjaciółką Glorii.

Wbiłam wzrok w pudełko po pizzy, z którego wystawała płyta DVD z Harrym Potterem.

— Kłamie jak z nut! — rozbrzmiał głos za zasłoną. Należał do Karli Kolumny, szalonej reporterki, ale poczułam, że się czerwienię.

— Daj, pomogę ci — zaproponowałam szybko. Zeskoczyłam z biurka i zaczęłam zbierać płyty Aleksa.

— Szybciej skończymy i będziemy mogli wyjść. Raszka i Sol pytali, czy pójdziemy z nimi do portu. Masz ochotę?

Alex zdmuchnął kosmyk włosów z twarzy i przesłał mi swój najpiękniejszy promienny uśmiech.

— Dzięki twojemu zdjęciu — powiedział — prawdopodobnie zdobędzie pierwszą nagrodę w konkursie.

Próbowałam się uśmiechnąć, ale nie udało mi się.

— Chciałbyś sporządzić ze mną listę imion? — zapytałam, aby wreszcie poruszyć bezpieczny temat.

— Dla twojego brata? — Alex uśmiechnął się szeroko. — Co byś powiedziała na „Lolo"?

— Bardzo śmieszne.

— Albo Leon. — Przy tych słowach kopnął leksykon zwierząt pod łóżko. — To znaczy „lew".

Potrząsnęłam głową.

— Może być tylko jedna lwica — powiedziałam zdecydowanie. — I to ja nią jestem.

— To nazwij go Benjamin! — zabrzmiało zza niebieskiej zasłony. — Albo Fabio Junior. Chociaż... tak się już przecież nazywa twój cichy wielbiciel.

— Zamknij się! — wydarliśmy się z Aleksem jednocześnie.

Wtedy Pascal zamknął buzię, a z „tiriii" *Słonia Benjamina* zrobiło się „tirillliwhwwhwlliiilllupszrszp", bo kaseta się zacięła i z taśmy zrobił się bigos.

Kiedy pokój Aleksa wreszcie został wysprzątany na cacy, spotkaliśmy się w porcie z Raszką i Solem. Siedzieliśmy na murku, przyglądaliśmy się przepływającym statkom, rzucaliśmy kamyki do Łaby i zjedliśmy po dwie porcje lodów włoskich. Kiedy Alex pocałował mnie w kleksa truskawkowego w kąciku ust, poczułam swędzenie głowy jakich mało.

Raszka popatrzyła na mnie pytająco i kiedy niepostrzeżenie pokręciłam głową, a ona zmarszczyła czoło, moje sumienie również zamieniło się w jeden wielki bigos. Czułam się z tym tak strasznie, że za ramię odciągnęłam Aleksa od Sola i Raszki.

Nabrałam głęboko powietrza i zaczęłam:

— Muszę ci coś...

Zadzwoniła komórka Aleksa. Powiedział „tak", „jasne" i „cześć", a kiedy się rozłączył, uśmiechnął się do mnie.

— Też już jestem umówiony w poniedziałek po południu. Ojciec chce z nami pójść do nowej rodzinnej restauracji, aby sprawdzić, jak mili są dla dzieci.

— Och — odrzekłam. — Świetnie.

Alex dał mi prztyczka w nos.

— Chciałaś mi coś właśnie powiedzieć?

— Ach — wymamrotałam. — Nic ważnego.

Pragnęłam, żeby Alex się dopytywał. Ale on tego nie zrobił.

Historie,

TYTUŁY I ZDJĘCIE

W poniedziałek rano mieliśmy niemiecki i muzykę. Obydwu przedmiotów uczył pan Demmon i obydwie godziny sprawiały prawdziwą przyjemność. Na lekcji niemieckiego czytaliśmy fragmenty z trzech różnych książek dla dzieci. Pierwsza nazywała się *Pomocy, zmniejszyłem moją nauczycielkę* i była dość zabawna. Druga nosiła tytuł *Krokodyl nad Srebrnym Jeziorem* i był to wakacyjny kryminał z przepisami kulinarnymi, a trzecia — *Jak stałem się nieśmiertelny*. Opowiadała o chłopcu, który wiedział, że niedługo umrze. Słuchając tego fragmentu, musiałam ciągle brać głęboki oddech, a Sayuri zaczęła nawet płakać.

— Beksa! — krzyknął Marcel na całą klasę. Anna Liza zachichotała.

Pan Demmon opuścił książkę i zapytał:

— Marcel, co robisz, kiedy słyszysz dobry dowcip?

— Hę? — odparł. — Śmieję się, a co innego?

— Dobrze — powiedział pan Demmon. — To znaczy, że twoje poczucie humoru działa. Śmiech to przecież naturalna reakcja. Tak samo jak płacz. Niestety
wciąż są ludzie, którzy uważają, że płacz jest czymś
dla beks. Lub dla mięczaków.

Wtedy Anna Liza się zaczerwieniła, a Marcel tylko prychnął. Przez resztę czasu rozmawialiśmy o tym,
która książka nas zaciekawiła i dlaczego. Mnie zainteresowały wszystkie trzy i postanowiłam zażyczyć je
sobie od babci na urodziny. Na tablicy w naszej kuchni wisiała już cała lista rzeczy, które chciałam dostać,
ale jeszcze zdążę dodać kilka.

Na muzyce graliśmy na bębnach. W grupach i przy
otwartym oknie, dlatego też w pewnej chwili otworzyły się drzwi. Pani Kronberg wsunęła głowę do pra-
cowni muzycznej i powiedziała:

— Czy można trochę ciszej? Bo w innych klasach
trwa NAUKA.

Pan Demmon zamknął okna. Po przerwie mieliśmy
matmę z Mölli i po raz pierwszy w życiu zrozumiałam
zadanie tekstowe. Ostatnią lekcją była geografia z panią Kronberg, która rozdała nam atlasy i poleciła wy-
szukiwać i zapisywać nazwy stolic. Nudziło mnie to
tak strasznie, że postanowiłam wymyślić nowy tytuł
mojego ogłoszenia, które chciałam przygotować wraz
ze zdjęciem. Uważam, że Raszka trochę przesadziła
z tym „absurdem", ale może rzeczywiście wpadnę na
coś lepszego.

Wyłowiłam pisak z piórnika z trupią czaszką, zaczęłam się zastanawiać i wszystko, co mi przyszło do głowy, zapisywałam. Wybrać mogłam później.

Coraz bardziej się rozkręcałam, kiedy usłyszałam chrząknięcie. Przed ławką stała pani Kronberg i pół sekundy później moja lista znajdowała się w jej dłoni.

– Ciekawe – powiedziała i uśmiechnęła się do mnie. Był to uśmiech cytrynowo-lodowy, z którego nauczyciel matmy z podstawówki, pan Koppenrat, mógłby sobie z pewnością wyciąć taflę rozmiarów dziesięć centymetrów na dziesięć. Zrobiło mi się naprawdę zimno.

Tymczasem pani Kronberg zwróciła się do klasy i zaczęła czytać:

„Doświadczona opiekunka do dzieci zaopiekuje się synami od chwili narodzin".

„Czarująca zaklinaczka niemowląt zaopiekuje się waszym *babyboyem*. Anton, Bastian czy Ferdynand – dzidziusie znajdą się w najlepszych rękach".

„Chcecie Państwo gdzieś wyjść lub macie chęć na piwko? Zostawcie swego synka u mnie!".

Pani Kronberg opuściła kartkę. Chichot w klasie zamienił się w gromki śmiech, ale kiedy nauczycielka podniosła dłoń, znowu nastała cisza.

Ja też się nie odzywałam.

Coś utkwiło mi w gardle, jakby kartoflana klucha w gęstym sosie z kawałkami mięsa. Z czymś takim w środku nie można nic powiedzieć.

Kiedy przed szkołą spotkałam się z Fabiem, wciąż milczałam, ale nie z powodu kartoflanej kluchy, lecz tego bigosu, z którym moje sumienie nadal się nie uporało.

– Graziella miała dzisiaj tylko trzy lekcje – odezwał się Fabio po dobrym kawałku drogi. – Ale o wpół do czwartej musi iść na szermierkę, dlatego chce od razu zaczynać zdjęcia.

– To dobrze – odparłam i dodałam: – W końcu po to tam idę.

– Jasne – odrzekł Fabio i ustąpił drogi rowerzyście, który przemknął koło nas. Niebo było szare, a powietrze ciężkie. Przeszliśmy przez Osterstrasse, skręciliśmy w prawo w Schulweg, a potem w lewo w Eichenstrasse. Kiedy zaczęło padać, Fabio odchylił głowę do tyłu. Wysunął język i łapał krople jego czubkiem.

– Deszcz brazylijski smakuje inaczej – powiedział.

Wytarłam sobie z nosa jedną kroplę i zlizałam ją z czubka palca. Smakowała mokro i jakby trochę metalicznie. Brazylijskiego deszczu w ogóle nie próbowałam, ale nagle poczułam *saudade*. To po portugalsku znaczy „tęsknota". Papai często je powtarza i wtedy w jego czarnych oczach mienią się krople deszczu.

— Jak właściwie było w Brazylii? — zapytał Fabio.
— Właśnie stamtąd wróciłaś, prawda?

Przytaknęłam. Fabio miał rację. Nasza podróż skończyła się dopiero parę tygodni temu. Jednak z powodu ekscytacji wszystkimi nowymi sprawami zdążyła już zejść na drugi plan. Ale teraz czas spędzony w Brazylii znowu we mnie ożył. Myślałam o vovó, o cioci Moemie, o mojej kuzynce Gabrielli i wszystkich krewnych, których wreszcie poznałam. Myślałam o *pousadzie*, basenie, widoku na morze i o naszym przyjacielu Kaku — teraz z pewnością był przy koniach albo wysoko w swoim domu na drzewie, w którym opowiadał nam o Oxum.

— Pięknie — powiedziałam, głęboko wzdychając. — Poznałam boginię.

— Boginię? — Fabio zmarszczył brwi.

— Oxum — wyjaśniłam. — Ona jest...

— ...boginią wód słodkich — przerwał mi Fabio. —
I piękności. Moja mama potrafi zatańczyć jej taniec.

— Ja też — pochwaliłam się i nagle poczułam się
z tego dumna.

— To przyjdź na zajęcia taneczne pana Demmona —
zaproponował Fabio. — Pod koniec miesiąca zaczyna-
my nowy projekt. Tym razem bez bębnów, ale za to
może moja mama będzie uczestniczyć w nim jako nauczycielka tańca. Właściwie jest przeznaczony dla
starszych, ale jeśli potrafisz tańczyć, na pewno po-
zwolą ci wziąć udział. Ja i Gloria chodziliśmy na to już
w ubiegłym roku.

Głowa znowu zaczęła mnie swędzieć. Fabio mówił
mi już kiedyś, że jego mama jest tancerką, a to, że
wraz z panem Demmonem poprowadzi projekt w naszej szkole, było naprawdę wspaniałe. Przypomniało
mi się przedstawienie podczas rozpoczęcia roku —
a jednocześnie zazdrość Aleksa.

— Nie wiem — wymamrotałam.

— Możesz się jeszcze zastanowić — stwierdził Fabio.
A potem pociągnął mnie za rękaw. — Stop. Jesteśmy
na miejscu.

Staliśmy przed niebieskim domem koło parku,
w którym kiedyś zbieraliśmy z kozią szkołą śmieci.

— No, jesteście wreszcie. — Z otwartego garażu nad-
biegła dziewczyna o długich czarnych lokach i ciemnej skórze. — Muszę wyjść o trzeciej, więc zaczynajmy.

A ty, Gnomo — Graziella postukała bratu w pierś — zostajesz na zewnątrz.

Zachichotałam. *Gnomo* to po portugalsku „krasnal". Od razu widać, że Fabio był młodszym bratem. Ciekawe, czy jako dzidziuś nasikał swojej siostrze w twarz?

— To na razie. — Kiwnął do mnie ręką. — Zostawiam was same i pójdę coś zjeść. Jest jeszcze *feijoada*?

Graziella przytaknęła, a mój żołądek odpowiedział burczeniem. Ciekawiło mnie troszkę, jak jest w domu Fabia. Ale kiedy poszłam za Graziellą do garażu, natychmiast o tym zapomniałam.

Nie zastanawiałam się wcześniej, jak będzie wyglądało jej studio, ale nawet gdybym próbowała, czegoś tak odlotowego nie umiałabym sobie wyobrazić. Ściany pomalowane były na biało, na tylnej wisiała czarna zasłona. W kącie stała olbrzymia palma, a przed nią stołek barowy. Po lewej stronie znajdował się wielki stojak, na którym wisiały sukienki i płaszcze. Obok stała skrzynia, toaletka ze stołkiem obitym czerwoną tapicerką i olbrzymie ścienne lustro.

Na ścianie po prawej stronie wisiały zdjęcia. Po tle rozpoznałam, że wszystkie zrobiono w studiu: strasznie stara kobieta z cygarem w ustach, mała dziewczynka z czarnymi warkoczykami i jaskrawoczerwonym balonem w ręce, mężczyzna o zaniedbanej twarzy i pomarszczonym czole, dwie dziewczynki, które ze śmiechem dotykały się nosami, mężczyzna, który odwróconym cylindrem balansował na koniuszku palca...

Na jednej fotografii widniał Fabio podczas gry na bębnach. Ręce miał uniesione, głowę odchyloną do tyłu, a oczy zamknięte. Wyglądał na dużo starszego niż w rzeczywistości.

– Jesteś lepsza od profesjonalistów – zdziwiłam się.

– Ach, coś ty! – Graziella się roześmiała. – Muszę się jeszcze dużo nauczyć.

Oglądałam jedno zdjęcie za drugim, aż na jednym dostrzegłam dziewczynę o blond włosach. Ubrana w spodnie gimnastyczne i krótką koszulkę skakała z szeroko rozstawionym nogami. Jej wyciągnięte do góry ręce wyglądały jak skrzydła.

– Znam ją! – wykrzyknęłam. – Tańczyła na scenie podczas rozpoczęcia roku.

Nie mogłam się napatrzeć, tak piękne było to zdjęcie. I ta dziewczyna. I to, co Fabio wcześniej powiedział o grupie tanecznej. Że mogłabym do niej należeć. Podrapałam się po głowie.

– To Sally – powiedziała Graziella. – Chodzi ze mną do klasy i kiedyś byłyśmy przyjaciółkami. Świetnie tańczy, ale to już mnie nie obchodzi.

– Dlaczego nie? – chciałam wiedzieć.

– Powiedzmy, że mam problem z jej drugim hobby – odrzekła Graziella.

– A co jest jej drugim hobby?

– Nic dla małych dziewczynek. – Graziella uśmiechnęła się drwiąco, a ja się trochę zdenerwowałam.

– Do której klasy chodzisz? – zapytałam, rzucając jeszcze jedno spojrzenie na to zdjęcie.

– Do dziesiątej – odpowiedziała. Usiadła na stołku barowym. – Ale teraz wróćmy do ciebie. Fabio mówił, że potrzebujesz zdjęcia, aby zamieścić je w ogłoszeniu.

– Tak. – Serce zaczęło mi walić. – Chciałabym zostać opiekunką do dzieci.

– Ty? – Graziella popatrzyła na mnie, jakbym była MALUTKĄ dziewczynką. – Ale kto pozwoli dziecku pilnować dzieci?!

– Chwila moment! – odparłam oburzona. – Niedługo skończę jedenaście lat. A poza tym mam doświadczenie z małymi dziećmi.

– Hm. – Graziella zmierzyła mnie wzrokiem od góry do dołu. – To musimy coś z ciebie zrobić.

Podeszła do wieszaka na ubrania, przeglądała je kolejno, aż wreszcie wyciągnęła błyszczący niebieski T-shirt z nadrukowanym wielkim czerwonym S.

– Łap – poleciła.

Złapałam T-shirt i przez chwilę mu się przypatrywałam.

— Superman?

— Nie zgadłaś — odrzekła Graziella i rozpoczęła poszukiwania w skrzyni. Grzebała w niej dłuższą chwilę, aż wreszcie znalazła butelkę do picia, smoczek i czerwoną grzechotkę. — Ty będziesz supernianią. Może niekoniecznie cię to postarzy, ale za to na pewno sprawi, że będziesz oryginalna.

W pierwszej chwili nie wiedziałam, co powiedzieć. Ale potem głowa zaczęła mnie swędzieć. Ten pomysł był genialny!

Kwadrans później zachwycona obracałam się przed lustrem. Ubrana byłam w T-shirt Supermana, a na prawym ramieniu na czerwonej tasiemce dyndały smoczek i grzechotka. Butelkę trzymałam w ręce, a moje loki Graziella utapirowała. Uważałam, że wyglądam lepiej niż Lala Lu, zaklinaczka niemowląt, w którą zamieniałam się w wyobraźni.

— I... akcja! — krzyknęła Graziella, trzymając w ręku aparat. Pstryknęła palcami. — Patrz na mnie, Lola. Ramiona do tyłu, pierś do przodu, prawą rękę luźno opuść. Oprzyj lewą dłoń na biodrze. Dobrze. Ale nie patrz tak poważnie. W końcu nie wybierasz się na pogrzeb. Myśl o tych słodkich bobasach — i o tym, że jesteś supernianią.

Patrzyłam w obiektyw, śmiałam się i czułam, że z każdym „pstryk" odrobinę rosnę.

— *Okay* — rzekła Graziella, kiedy moje prawe ramię zrobiło się bardzo ciężkie. — Chyba starczy. Muszę już iść, ale dzisiaj wieczorem zgram twoje zdjęcia na komputer, a wydruki przyniosę ci jutro do szkoły.

— A jak mogę ci się odwdzięczyć? — zapytałam.

— Daj spokój — odparła. — Jeśli mogłabym zostawić sobie jedną odbitkę do portfolio, to będzie w porządku. W końcu zrobiłam to dla mojego małego braciszka. — Mrugnęła do mnie. — On cię bardzo lubi, wiesz przecież, prawda?

Westchnęłam. Wolałabym, żeby Graziella nie wypowiedziała tego ostatniego zdania.

NIE BÓJCIE SIĘ DUCHÓW

Następnego dnia miałam w kieszeni najlepsze na świecie zdjęcie superniani, jednak kiedy po południu szłam z Aleksem do „Domu", czyli na hamburski jarmark, było mi trochę niedobrze. Dlatego też nie chciałam waty cukrowej. Alex opowiadał o wizycie w restauracji. Jego młodszy brat nie rzucał wprawdzie winogronami, ale za to kelner potknął się o rolki Pascala i upuścił tacę z hamburgerami i frytkami.

— Wtedy jeszcze był uprzejmy — opowiadał Alex — ale kiedy Pascal po raz siódmy chciał go odesłać z coca-colą, bo miała nieodpowiednią temperaturę, zupełnie stracił panowanie nad sobą. Stwierdził, że Pascal jest źle wychowanym smarkaczem i nie ma wątpliwości, czyja to wina. Myślę, że ta restauracja będzie kolejną klapą Hamburga. — Uśmiechnął się do mnie. — A jak tobie poszło?

— Całkiem nieźle — wymamrotałam i wbiłam wzrok w bruk usiany popcornem i ulotkami.

Jeździliśmy na diabelskim młynie i kolejce górskiej, ale kiedy wsiedliśmy do kolejki strachu, nie wytrzymałam dłużej.

— Muszę ci coś powiedzieć — wybąkałam, kiedy połknęła nas olbrzymia morda potwora i nasz wagon sunął w ciemność.

— Co takiego? — Alex mnie objął. Wtuliłam się w niego i wdychałam zapach jego jabłkowego szamponu, a kiedy coraz głębiej zapadaliśmy się w mrok, wyrzuciłam z siebie: — Graziella. Ta dziewczyna, która robiła mi zdjęcia. To siostra Fabia. Właściwie chciałam ci to od razu powiedzieć. Tylko bałam się, że znowu będziesz zazdrosny. I dlatego mówię to dopiero teraz. Po szkole poszłam z Fabiem do jego domu, ale tylko dlatego, że jego siostra miała mnie sfotografować. I to właśnie zrobiła. Nic więcej się nie działo. Tak, i teraz już wiesz wszystko.

Wypuściłam powietrze. Dookoła nas ryczały strachy, czarownice i duchy wyskakiwały z ciemnych kątów, bezgłowe zwłoki wydawały z siebie żałosne odgłosy, a ośmioramienny potwór wyciągał pazury w naszą stronę. Przywarłam do ramienia Aleksa, ale tym, czego najbardziej się bałam, nie były duchy, tylko jego reakcja.

A on milczał.

Kiedy po niekończącej się wieczności zostaliśmy ponownie wypluci na światło dzienne, Alex obrócił się do mnie. W jego zielonych oczach coś migotało.

— Ale nie ma przecież powodu — rzekł.

— Nie ma powodu? — Zmarszczyłam czoło. — Do czego?

— Do zazdrości. — Chrząknął, a potem spojrzał mi w oczy. Czułam jego wzrok głęboko w środku. — Lubisz Fabia jako kolegę. Ale nie tak samo jak mnie. Prawda?

— Prawda — odparłam, przejęta jego reakcją. — To absolutna i niepodważalna prawda.

— No, to wszystko w porządku — odrzekł. Uśmiechnął się i przytulił mnie do siebie. Czułam bicie jego serca przy swoim i wtedy cały bigos zniknął wreszcie z mojego sumienia.

Byłam gotowa na wszystko. Ale nie wyobrażałam sobie, że można czuć się tak cudownie, gdy po prostu powiedziało się prawdę.

OGŁOSZENIA, NAZWISKA

I *AU REVOIR*

Wieczorem nauczyłam się, że niektóre prawdy lepiej jednak zachować dla siebie. Bo kiedy opowiedziałam rodzicom o swoich planach zostania opiekunką do dzieci, ich reakcja nie była najlepsza.

— To wykluczone, Lolu — powiedziała mama. Leżała na kanapie i głaskała sobie brzuch, a papai masował jej stopy. — Na taką pracę jesteś jeszcze za młoda.

— Wcale nie! — zaprotestowałam. — Już z tysiąc razy pilnowałam ciotki Lisbeth!

— To co innego — odrzekła mama. — Po pierwsze, ciotka Lisbeth nie jest już niemowlakiem, a po drugie, to nie dziecko obcych ludzi. Wkrótce będziesz mogła poćwiczyć na swoim małym braciszku. A potem zobaczymy.

Czasami dorośli naprawdę nic nie pojmują. Wyjaśniłam mamie, że nie chcę ćwiczyć NA moim młodszym bracie, lecz DLA niego, ale ona i tak obstawała przy swoim głupim NIE.

— Może ktoś znajomy szuka opiekunki do dziecka? — zasugerował papai, ugniatając palce u nóg mamy, aż zaczęła chichotać.

— Nad tym się zastanowimy — odparła. — Ale do domu obcych ludzi nie pójdziesz. Zrozumiałaś, Lolu?

— Tak — wymamrotałam, ciesząc się, że zachowałam dla siebie przynajmniej historię z ulotkami. Bo do tej pory nie poznaliśmy żadnych rodziców, którym niedawno urodził się synek. Koledzy ciotki Lisbeth z przedszkola mieli tylko starsze rodzeństwo, a jedna mama była w ciąży. Moja wychowawczyni ze szkoły podstawowej, pani Wiegelmann, już w wakacje przysłała nam zdjęcie swoich nowo narodzonych bliźniaczek. Obydwie były słodkie — ale to dziewczynki. A ja nie zamierzałam czekać, aż zawrzemy znajomość z rodzicami jakiegoś chłopca.

— I dlatego dalej rozdaję ulotki — oznajmiłam następnego dnia Aleksowi. — Mogę przynajmniej sprawdzić, czy inni rodzice mi zaufają. Jeśli uznają mnie za wystarczająco dużą, uda mi się przekonać mamę.

— Nie jestem pewien — odparł Alex.

— Właśnie — stwierdziłam. — Ja też nie. Ale dowiem się dopiero wtedy, gdy spróbuję. A więc pomożesz mi czy nie?

Alex uśmiechnął się do mnie.

— Pomogę ci, Lolu Lwico — odrzekł.

Moment był odpowiedni. Jeff poszedł z Pascalem grać w piłkę i dlatego mieliśmy jego komputer dla siebie. Alex skończył w Paryżu kurs, na którym nauczył się obrabiać zdjęcia. Moje propozycje treści ogłoszenia uważał wprawdzie za głupiutkie, a określenie „superniania" za przesadzone. Ja jednak byłam zdania, że trafiłam w sedno, i dlatego tak zostało. Kiedy skończyliśmy, Alex wydrukował dwadzieścia kopii. Na początek powinno starczyć.

„Doświadczona superniania zapewni waszym malutkim synkom znakomicie spędzony czas" — napisane było nad moim zdjęciem wielkimi ozdobnymi literami. Dzięki temu nie będą do mnie dzwonić rodzice dziewczynek. Zatroszczyłam się również o to, by telefonowano w odpowiednich godzinach. „Umawianie spotkań od poniedziałku do czwartku od 15 do 18" — napisałam pod naszym numerem telefonu. W tym czasie mama pracowała na popołudniowej zmianie. A jeśli chodzi o tatę, musiałam tylko zdążyć odebrać przed nim.

— Spokojnie dam radę — odrzekłam na kolejne „nie jestem pewien" Aleksa.

Teraz należało uważać, żeby nie rozwiesić ogłoszeń w miejscach, obok których przechodziła mama, na przykład w Mieście Spichlerzy, gdzie mieszkał tata Aleksa. Jedno ogłoszenie przykleiliśmy na latarni przy placu zabaw. Drugie powiesiłam na tablicy ogłoszeń w supermarkecie, a trzecie na oknie wystawowym

sklepu z zabawkami. W drodze do domu wcisnęłam ulotkę za wycieraczki samochodu z dziecięcym fotelikiem. Na tylnej szybie dostrzegłam naklejkę z napisem: „Anton na pokładzie" i uznałam to za dobry znak.

Kiedy przy kolacji mama zapytała mnie i tatę, jak nam się podoba imię Anton, ze strachu dostałam napadu kaszlu.

— No już dobrze — stwierdziła, kiedy papai klepał mnie w plecy. — To tylko propozycja. Jest jeszcze mnóstwo innych imion dla twojego młodszego brata, jeśli Anton wam się nie podoba.

Podała mi książkę pod tytułem *4000 imion z całego świata*.

Tacie bardziej podobał się Antonio, ale według mnie obydwa imiona nie pasowały do mojego młodszego brata. Podobało mi się imię Bonaventura. Znajdowało się w książce. Pochodziło z łaciny i znaczyło tyle co „dobra przyszłość".

— Moglibyśmy mówić do niego Bo — zaproponowałam. Było krótsze i znaczyło tylko „dobry". „Przyszłość" można by sobie dopowiedzieć, uważałam, ale mama i tata się nie zgodzili.

Papai zaproponował Ottorino, bo tak nazywał się mój brazylijski dziadek. Zmarł, kiedy papai był jeszcze małym chłopcem. Ale mama uznała to imię za staromodne, a mnie się kojarzyło z przyjacielem Słonia Benjamina, Ottonem, co wydało mi się zbyt kompromitujące dla mojego braciszka.

W książce było mnóstwo dziwacznych imion.

— Któż nazywa dziecko Arbogast?! — zapytałam oburzona. — Lub Makary? Czy też Kunegunda?

Papai uśmiechał się szeroko.

— Znam jednego brazylijskiego rolnika, który swojego syna nazwał *um, dois, três Oliveira quatro*. To znaczy: „raz, dwa, trzy, Drzewo Oliwne cztery".

Mama zaczęła chichotać i przypomniała jej się historia pewnej kobiety, która zaszła w nieplanowaną ciążę i swojego syna chciała nazwać Mąciciel.

— I coś takiego jest dozwolone? — zapytałam oburzona.

— W Niemczech na szczęście nie — wyjaśniła mama.

— Prawo tego zabrania.

— W Brazylii obecnie też — dodał papai. — Ale mimo to wciąż można tam spotkać mnóstwo dziwnych imion.

– W Ameryce też. – Mama przewróciła oczami. – Jedna aktorka nazwała swoją córkę *Apple*.

– To ona nazywa się Jabłko – stwierdziłam ze zdumieniem.

Nauczyłam się tego dzisiaj na lekcji angielskiego. Jako imię dla dziewczynki wydawało się to absurdalne.

– Mamy jeszcze kilka miesięcy – stwierdziła mama i zamoczyła ośmiornicę w majonezie. – A jeśli chodzi o ciebie, to najwyższy czas na naukę, myszko.

Westchnęłam. Jutro mieliśmy pisać test z angielskiego i musiałam wkuć mnóstwo nazw owoców.

Kiedy już znałam je wszystkie na pamięć, położyłam się, a o północy mój pilot Alexandre wprowadził mnie do akcji. Polecieliśmy do Rio de Janeiro, gdzie zamierzano właśnie ochrzcić malutkiego chłopczyka. Kościół był zapełniony do ostatniego miejsca, ale wszyscy trzymali się za uszy, bo mały krzyczał jak poparzony. Wisiał nad chrzcielnicą i jak dziki wymachiwał rękoma. Czoło księdza pokryło się kroplami potu, a mama chłopca padła przede mną na kolana.

– Na niebiosa, Lalu Lu, zdradź mi, co tak bardzo unieszczęśliwia mojego syna!

– Jego imię – powiedziałam, kiedy spojrzałam głęboko w oczy wrzeszczącego dziecka.

– Imię? – Matka popatrzyła na mnie bardzo zdziwiona. – Ale on ma się nazywać Jezus, jak nasz Zbawiciel. Cóż w tym złego?

— Odpowiedzialność — odparłam. — Pani syn nie chce zbawiać ludzkości. Pragnie być po prostu szczęśliwy. Niech go pani ochrzci imieniem Feliks, a wszystko będzie dobrze.

Feliks znaczy „szczęśliwy". Wiem, bo tak nazywa się mój niemiecki dziadek. Moja propozycja zadziałała natychmiast. W jednej chwili mały zaczął się uśmiechać. Podarowałam mu smoczek o smaku czekolady, ksiądz powiedział „amen", a wszyscy zgromadzeni w kościele, wybawieni z kłopotliwej sytuacji, wyjęli palce z uszu.

Trzy dni później Alex poleciał z powrotem do Paryża i to już niestety nie było snem, lecz rzeczywistością. Kiedy obejmowaliśmy się na lotnisku, walczyłam ze łzami.

— *Au revoir, ma chérie* — powiedział na pożegnanie. Próbował się uśmiechać, ale wyglądał tak samo smutno jak ja. *Au revoir* znaczy „do widzenia", ale do chwili naszego ponownego spotkania miało upłynąć sporo czasu. W tym roku Alex wyjeżdżał ze swoją *maman* na ferie jesienne, które we Francji zaczynały się dokładnie w dniu moich urodzin.

Kiedy Alex z Pascalem przeszli przez punkt kontroli paszportowej, Jeff objął mnie ramieniem.

— Teraz znowu jesteśmy sami — stwierdził.

Przytaknęłam. W brzuchu czułam pustkę. Myślę, że do niektórych rzeczy po prostu nie da się przyzwyczaić. Wręcz przeciwnie, za każdym razem są coraz gorsze. Mogłam mieć tylko nadzieję, że wkrótce ktoś zareaguje na ogłoszenie. Wtedy przynajmniej coś odwróci moją uwagę. W niedzielę wywiesiłam ostatnie kopie. I potem rozpoczęło się oczekiwanie.

CZEKAM NA TELEFONY
I PISZĘ LIST

W poniedziałek telefon zadzwonił dziesięć po trzeciej. Po drugiej stronie odezwała się starsza pani, która chciała się dowiedzieć, czy dzisiaj może się jeszcze umówić na mycie i czesanie. Rzuciłam słuchawką dopiero wtedy, kiedy po raz trzeci krzyknęłam do niej, że to pomyłka. Potem zadzwonił Fabio, żeby mnie poinformować, że widział moje ogłoszenie na placu zabaw i że według niego wygląda *cool*. I znowu poruszył temat zespołu tanecznego. Powiedział, że od następnego poniedziałku grupa zaczyna pracę nad nowym projektem. Treningi odbywają się w hali sportowej od szesnastej do siedemnastej i jeśli chciałabym na nie przychodzić, to może mnie ze sobą zabrać, chociaż inni uczestnicy są już zaawansowani.

Wciąż nie byłam pewna, czy chcę dołączyć do zespołu, tym razem nie tylko z powodu Aleksa. W końcu to projekt dla starszych. A poza tym nie mogłam teraz planować za dużo zajęć, skoro liczyłam na pracę superniani. Na wszelki wypadek zanotowałam termin w nowym kalendarzu szkolnym, stawiając obok znak zapytania. Ale Fabiowi powiedziałam, że raczej nie będę miała czasu, i odłożyłam słuchawkę.

We wtorek telefon zadzwonił kwadrans po czwartej. Sayuri, koleżanka z mojej klasy, chciała wiedzieć, czy zrozumiałam zadania z matematyki, co tym razem akurat faktycznie mi się zdarzyło. Ryba Rozdymkokształtna okazała się naprawdę dobrą nauczycielką. Potrafiła tłumaczyć o wiele lepiej niż pan Koppenrat z koziej szkoły, a przy tym była o wiele milsza. Sayuri również wzbudzała sympatię i najchętniej porozmawiałabym z nią dłużej, ale musiałam zwolnić linię. Dziesięć minut później zatelefonował dziadek, który chciał rozmawiać z tatą, i niestety skończyli dopiero kilka minut po piątej.

W środę telefon od wpół do czwartej dzwonił mniej więcej co pięć minut. Za każdym razem kiedy podnosiłam słuchawkę, ktoś bekał mi do ucha, a potem z chichotem się rozłączał.

Za dwunastym razem odebrałam, krzycząc:

– ZOSTAW MNIE W SPOKOJU, TY GŁUPIA FLEGMO!

Przestraszony damski głos powiedział: „No coś

takiego!" — i kobieta rzuciła słuchawką, zanim zdążyłam krzyknąć „Stop!". Z wściekłości najchętniej pogryzłabym aparat.

W czwartek telefon milczał, a w piątek byłam w tak złym humorze, że najchętniej w ogóle nie poszłabym do szkoły. A zwłaszcza do klasy piątej B.

W piątej A Raszka, Fryderyka, Sol i Anzelm siedzieli przy grupowym stole, podczas gdy nas usadzono w rzędach, a szepty Anny Lizy i Dalili drażniły moje uszy. Jedynymi przedmiotami, na których te dziewczyny zamykały buzię, były angielski i geografia, bo tych uczyła pani Kronberg, która każdemu, kto tylko pisnął słówko, wlepiała za karę dodatkową pracę domową.

Ja przez cały dzień nie wydałam z siebie dźwięku. Na angielskim mieliśmy trenować rozmowy telefoniczne, a na to w tym tygodniu z pewnością nie miałam ochoty.

Na lekcji niemieckiego ćwiczyliśmy twórcze pisanie.

— Pomyślcie o kimś, kogo chętnie byście poznali — powiedział pan Demmon. — Może to być sławna postać, na przykład piłkarz, piosenkarka lub pisarz. Ale w grę wchodzą także inne osoby, o których coś słyszeliście lub czytaliście i które was szczególnie zainteresowały.

— A można wybrać kogoś, kto już nie żyje? — chciał wiedzieć Gus, chłopiec z Holandii w baseballówce.

Pan Demmon przytaknął.

— Warunek jest jeden: że nigdy dotąd nie spotkaliście tego człowieka. Gdy już się na kogoś zdecydujecie, napiszcie do niego list.

— Ale o czym?! — zawołał Marcel na całą klasę.

— O tym, co wam przyjdzie do głowy — odpowiedział pan Demmon. — Może chcecie tę osobę o coś zapytać. Może jest w niej coś, co się wam wyjątkowo podoba — lub was szczególnie ciekawi. A może chcecie jej po prostu opowiedzieć o was samych.

— Hę?

— A co to ma być?

— Co mamy napisać?

— Do czego to ma służyć?

Wszyscy zaczęli zadawać pytania, jeden przez drugiego. Ale pan Demmon oznajmił:

— Nie zastanawiajcie się. Piszcie!

— A czy te listy będą oceniane? — dopytywała się Anna Liza.

Nauczyciel potrząsnął głową.

— Cudzych listów się nie czyta, nawet wychowawca nie powinien tego robić. Co z nimi zrobicie, to wasza prywatna sprawa.

Podobało mi się to, chociaż uważałam, że to dość dziwne ćwiczenie. W pierwszej chwili nie przyszedł mi do głowy nikt, do kogo mogłabym napisać (oprócz Aleksa, ale jego przecież znałam). Rozważałam wybór gwiazdy pop, sławnego szpiega lub aktorki filmowej.

Potem zaczęłam się zastanawiać, czy w mojej rodzinie jest ktoś, kogo jeszcze osobiście nie znałam.

I nagle wiedziałam, do kogo skieruję swój list. Wyjęłam długopis z piórnika i zabrałam się do pisania.

Drogi młodszy Bracie,
kiedy po raz pierwszy o Tobie usłyszałam, byłam w Brazylii. To nasza druga ojczyzna. Tam w wakacje mama i tata wzięli ślub. Zawdzięczają to głównie mnie, bo w pierwszych tygodniach urlopu tak zaciekle się kłócili, że omal nie odwołano ceremonii. Na szczęście postarałam się o to, aby wszystko dobrze się skończyło. Nienawidzę, kiedy nasi rodzice się kłócą, bo czuję się wtedy samotna i szczerze mówiąc, boję się. Ty nie musisz się bać! Bo kiedy przyjdziesz na świat, a mama i papai się pokłócą, będziesz miał mnie!

Jak właściwie jest w brzuchu mamy? W zasadzie powinnam to wiedzieć, bo byłam w nim przed Tobą. Ale nic nie mogę sobie przypomnieć.

Czy słyszysz nasz świat? Mama mówi, że tak, a papai wczoraj śpiewał Ci piosenkę. Do tego grał na gitarze. Siedział bardzo blisko brzucha mamy, a mama się śmiała i twierdziła, że tańczysz u niej w środku sambę. To oczywiście bzdura. Samby trzeba się nauczyć, a Ty jeszcze nie umiesz chodzić. Ja potrafię dość dobrze tańczyć. Jeśli chcesz, nauczę cię samby, i chodzenia również.

Najbardziej pragnę tego, bym umiała się Tobą dobrze zająć. Dlatego staram się teraz o pracę jako opiekunka dzidziusiów. Mama uważa, że jestem na to za młoda, ale ja myślę, że to niezbyt mądra opinia. Dlaczego nie potrafi zrozumieć, że chcę się na Ciebie przygotować? Przecież kiedy przyjdziesz na świat, muszę wszystko robić dobrze!

Jestem ciekawa, jak wyglądasz, bardziej niż mama i bardziej niż papai. Ja mam jasną skórę mamy i jej jasne włosy. Tylko loki odziedziczyłam po tacie.

Ty jesteś jeszcze łysy, a koloru skóry na zdjęciu nie można rozpoznać. Papai powiedział wczoraj przez telefon do vovó, że ma nadzieję, iż będziesz ciemnoskóry tak jak on. Ja wolałabym, żebyś miał jasną karnację. Bo wtedy byłbyś podobny do mnie.

Myślę, że to dziwne kochać kogoś, kogo jeszcze nie ma na świecie. Ale ty istniejesz mimo wszystko. Żyjesz w małym światku, który mama nosi po wielkim świecie. Uważam, że to cudowne.

W każdym razie kocham Cię szalenie i obiecuję Ci, że zawsze będę przy Tobie.

Twoja starsza siostra
Lola

Kiedy podpisywałam list, rozległ się dzwonek. Byłam tak skupiona, że nie spostrzegłam, jak szybko minął czas.

– Do kogo pisałaś? – chciała się dowiedzieć Anna Liza od Dalili.

– Do Coco Chanel – usłyszała w odpowiedzi.

– *Cool* – skomentowała. – Też na początku chciałam go wziąć.

– JEGO? – Dalila zmarszczyła brwi. – Coco Chanel to kobieta.

– Wiem – zapewniła Anna Liza, czerwieniąc się.

– Chodziło mi o to, że chciałam wybrać tego CZŁO-WIEKA.

Dalila uśmiechnęła się kpiąco, a ja nie mogłam pojąć, dlaczego Anna Liza zachowuje się tak idiotycznie. Nie miałam bladego pojęcia, o co chodziło z tym Coco-człowiekiem, ale wieczorem papai wyjaśnił mi, że Coco Chanel była sławną projektantką mody. Potem zapytał, do kogo ja pisałam, a kiedy mu zdradziłam, jego oczy zwilgotniały.

– Ależ twój brat się będzie cieszył – powiedział. – Jeszcze go nie ma na świecie, a już otrzymał list.

A do mnie, miejmy nadzieję, wkrótce ktoś zadzwoni! W przeciwnym razie braciszek się urodzi, a ja nie będę potrafiła się nim dobrze zająć.

W następny poniedziałek nikt nie zareagował na moje ogłoszenie, za to w szkole sama otrzymałam list w srebrnej kopercie. Pozostałe dziewczęta z klasy też taki dostały. W środku znajdowało się zaproszenie na przyjęcie urodzinowe, które miało się odbyć w następną sobotę. Jubilatką była Dalila.

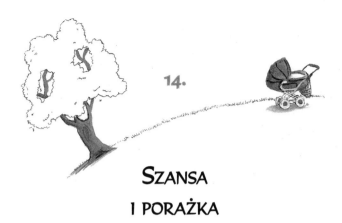

SZANSA
I PORAŻKA

— Po co ci książka o Coco Chanel? — zapytała babcia, kiedy następnego dnia poszłam z ciotką Lisbeth do księgarni.

— Chcę ją podarować — odpowiedziałam. — Koleżanka z klasy zaprosiła mnie na imprezę urodzinową, a zdaje się, że bardzo podziwia Coco Chanel.

— Co za dziewczyny masz w swojej klasie! — Babcia pokiwała głową.

Wzruszyłam ramionami. Długo naradzałam się z Raszką, czy w ogóle powinnam iść na to przyjęcie. Moja przyjaciółka uważała, że jeśli wszystkie inne dziewczęta się wybierają, to może być całkiem fajnie. Potwierdziłam więc, że przyjdę. A po głowie krążyła mi pewna myśl: może któraś z moich klasowych koleżanek zna kogoś, kto ma nowo narodzonego synka. I może w ten sposób znajdę pracę jako opiekunka do dziecka.

Ciotka Lisbeth siedziała w kącie z książkami obrazkowymi i drapała się po głowie.

— Co tam, ciebie też swędzi skóra? — zapytałam.

Moja głowa znowu swędziała jak szalona, chociaż w tej chwili nie było ku temu powodu. Ale pojawił się po kilku minutach, więc zaczęłam się zastanawiać, czy moja podświadomość czasem nie potrafi przepowiadać przyszłości. Otóż do sklepu weszła klientka. Pchała przed sobą wózek dziecięcy, a kiedy go zatrzymała, rozległ się pisk.

— Dzień dobry, pani Petzold! — zawołała babcia. — Jak tam kolka Karolka?

Nie wiedziałam, co to jest kolka, ale imię Karolek wzbudziło we mnie dziką nadzieję.

— Mogę zobaczyć? — zapytałam, drapiąc się po głowie.

Jego mama przytaknęła. Pochyliłam się nad wózkiem i wstrzymałam oddech. Bobas! I jak wskazuje imię, chłopiec. Miał okrągłą twarz o pucułowatych, mocno zaróżowionych policzkach, a rączki tak tłuściutkie, że robiły się na nich fałdki. Ubrany był w T-shirt z uśmiechniętą buźką, ale jego twarz wcale nie wyglądała na wesołą. Malutkie dłonie zaciskał w piąstki, a z ciemnoniebieskich oczu wylewały się wielkie łzy.

— Jaki słooooodki! — zawołałam. — Ile już ma?

— Osiem i pół — odparła matka ze zmęczonym uśmiechem.

Co? Lat? Chyba nie. Miesięcy? Jeszcze bardziej pochyliłam się nad wózkiem. Bobas kwilił coraz głośniej. Brzmiało to jak dźwięk zepsutej plastikowej trąbki. W jego otwartej buzi nie mogłam dojrzeć żadnych ząbków, za to z ust wydostawały mu się bańki ze śliny. W wieku ośmiu i pół miesiąca ciotka Lisbeth wyglądała inaczej. Prawdopodobnie jego mamie chodziło o tygodnie. Przyszło mi na myśl, że moja mama jest teraz w dwudziestym drugim tygodniu ciąży. Dziwne. A więc od narodzin znowu wszystko zaczyna się od zera. Trąbkowe kwilenie stawało się coraz głośniejsze i malec zaczął kopać nóżkami. Wyglądał jak gruba żaba leżąca na plecach — tylko nie tak obrzydliwa oczywiście. Najchętniej wzięłabym go na ręce, ale nie miałam odwagi.

— Biedaczysko — stwierdziła babcia, która teraz też się pochyliła nad wózkiem. — Ale za kilka tygodni kolka przejdzie.

Jego mama kiwnęła głową. Na różowej bluzce miała mnóstwo plam, jakby przeleciał nad nią gołąb z biegunką. „Ulewanie niemowlęcia wygląda jak gołębia kupa" — odnotowałam w myślach. Ale co to jest kolka? Zapytałam babcię.

— Wzdęcia — wyjaśniła. — Mogą powodować potworny ból.

— I nie dawać spokoju matce — dodała pani Petzold z westchnieniem.

Wyglądała na dość wyczerpaną. Pomyślałam o tacie i o sobie po jedzeniu fasoli. Wtedy też mieliśmy wzdęcia i urządzaliśmy dziki koncert prukania. Wprawdzie nie podciągaliśmy przy tym nóg do brzucha i nie było to bolesne. No, może najwyżej dla mamy, która musiała znosić ten smród. Ale bobas nie śmierdział.

— Muszę pilnie skorzystać z toalety — powiedziała mama Karolka. — Mogłabym na chwilę...?

— Oczywiście — odpowiedziała babcia i mrugnęła do mnie. — Moja wnuczka wkrótce będzie miała braciszka. Więc może już zacząć ćwiczyć.

Trafniej nie mogła tego ująć. Mama bobasa zniknęła w toalecie. A ja zachybotałam rączką wózka.

— La la la — zaśpiewałam po cichu. — La la la.

Bobas znowu na mnie spojrzał. Ponownie zakołysałam wózkiem, a potem popchnęłam go lekko w przód i w tył. Wtedy niemowlę przestało płakać i kiedy jego mama wróciła, popatrzyła na mnie rozpromieniona.

— Robisz to doskonale — powiedziała.

„No właśnie" — pomyślałam. Pokołysałam wózkiem jeszcze mocniej. Bobas spojrzał na mnie niebieskimi oczami i się uśmiechnął.

— Dopóki coś się porusza, wszystko jest dobrze — wyjaśniła jego mama. — Marzę, aby mieć choć kilka minut spokoju.

Babcia popatrzyła na ciotkę Lisbeth i się zaśmiała.

— Znam to. Moja młodsza córka była taka sama.

— Wcale nie — zapewniła ciotka Lisbeth i dwoma rękoma podrapała się po głowie.

— Ja się nią często opiekuję — powiedziałam do mamy chłopczyka. — Jeśli pani chce, mogłabym trochę pospacerować z Karolkiem.

Jego matka wyglądała na niezdecydowaną, ale dziecko siedziało cicho jak mysz pod miotłą i babcia powiedziała:

— To dobry pomysł, Lolu. Zrób z nim rundkę wokół bloku, to pani Petzold będzie mogła się w spokoju rozejrzeć. Co pani na to?

Matka Karolka zmarszczyła brwi i w końcu kiwnęła głową.

— Jeśli będziesz ostrożna, nie mam nic przeciwko.

— Chcę iść z wami! — krzyknęła ciotka Lisbeth.

— Ale tylko ja mogę pchać wózek — oznajmiłam, kiedy wyruszyłyśmy. — W końcu to ja ponoszę odpowiedzialność.

To było coś absolutnie wspaniałego. Wyobraziłam sobie, że w wózku leży mój mały braciszek i że tylko ja umiem go uspokoić, bo wiem, co dobrze na niego działa. Na skrzyżowaniu dwóch kierowców trąbiło wściekle, więc skierowałam wózek w kierunku Schanzenpark.

— Ale miałyśmy tylko obejść blok — powiedziała lękliwie ciotka Lisbeth.

— Na ulicy panuje za duży hałas — pouczyłam ją. — I spaliny też nie służą dzidziusiowi. W parku jest spokój i zdrowsze powietrze. Kiedyś to zrozumiesz. A kiedy nabierzesz wprawy, to będziesz mogła popchać wózek z moim młodszym bratem. Chodź, przyśpieszymy trochę, wtedy Karolek będzie miał jeszcze więcej ruchu.

Podbiegłam troszkę. Kiedy usłyszałam, jak bobas gaworzy, rozpędziłam się jeszcze bardziej, a ciotka Lisbeth krzyczała za mną:

— Czekaj!

Ale ja nie mogłam zaczekać. Potknęłam się, a ponieważ musiałam jakoś złapać równowagę, z całej siły uderzyłam w wózek, który zakołysał się, zboczył z drogi i popędził z górki niczym superekspresowy statek kosmiczny schodzący do lądowania.

— Ojej! — krzyknęła ciotka Lisbeth, a ja wrzeszczałam: „STOOOOP!". I pędziłam za wózkiem. Wreszcie z impetem uderzył w drzewo — i stanął. W środku było cicho, ale tylko przez sekundę.  Kiedy zajrzałam do środka, bobas miał oczy szeroko otwarte. Potem otworzył usta i zaczął wrzeszczeć. Darł się jak potępieniec i wyglądał teraz jak zrozpaczony prastary krasnal. Obok nas przechodziło starsze małżeństwo. Przestraszona kobieta popatrzyła na mnie.

— Już dobrze — wycedziłam przez zęby. — Już wszystko dobrze.

Wspinałam się z wózkiem z powrotem na górę, sapiąc z wysiłku, podczas gdy Karolek dalej krzyczał. Pot płynął mi po plecach. Nie chciałam wracać, ale przeraziłam się, że mały zapłacze się na śmierć. Wszyscy na ulicy patrzyli na nas, a kiedy zbliżyliśmy się do sklepu, mama Karolka wybiegła nam naprzeciw. Jej twarz była blada jak ściana.

— Co się stało?! — zawołała, wyjmując dziecko z wózka. — Mama już jest — wymamrotała, przytulając go mocno.

— Nagle zaczął płakać — powiedziałam i szturchnęłam ciotkę Lisbeth w ramię.

— No właśnie — potwierdziła Lisbeth. — Zupełnie nagle, kiedy wózek uderzył w drzewo.

— W drzewo? — Matka popatrzyła na mnie zdumiona. Niemowlę kwiliło coraz ciszej.

— Ciotka się przejęzyczyła — wypaliłam.

— Wcale nie! — krzyknęła ciotka Lisbeth. — Widziałam dokładnie. Pchałaś wózek do parku, potem zaczęłaś gnać, potknęłaś się i zepchnęłaś go z górki, aż uderzył w drzewo!

— O Boże! — jęknęła matka Karolka.

Opuściła sklep, jakby ją ktoś gonił, a babcia spojrzała na mnie wściekłym wzrokiem.

— To jedna z moich najlepszych klientek. Oszalałaś, Lolu?! To dziecko mogło zginąć! Co ty sobie myślałaś?!

Najwidoczniej nie to, co trzeba.

— Przykro mi — pisnęłam.

To dziwne, jak się czasem układają sprawy. Przez tydzień czekałam na telefon, a teraz w ciągu kilku minut otrzymałam pierwszą szansę i ją straciłam.

Teraz impreza

naprawdę się rozkręca

Ostatnie przyjęcie urodzinowe, w którym miałam okazję uczestniczyć, w połowie było moim własnym. Świętowaliśmy w ogrodzie taty Fryderyki. Jedliśmy grillowane kiełbaski, wśród atrakcji znalazły się trampolina i lampiony. Bawiliśmy się w słup soli, a wieczorem tańczyliśmy i spędziliśmy noc pod osłoną nieba. Był z nami Alex i kilku chłopców z naszej klasy.

Dalila zaprosiła same dziewczyny. Kiedy nacisnęłam złoty dzwonek niebieskiego domu nad rzeką, drzwi otworzyła jej mama. Była tego samego wzrostu co Dalila, a uśmiech miała jeszcze chłodniejszy.

— Wejdź — powiedziała. — Wszyscy są z tyłu.

Zaprowadziła mnie do pokoju Dalili, trzy razy większego od mojego. Pozostałe dziewczynki już były. Siedziały na wielkiej jasnofioletowej kanapie z jedwabnymi różowymi poduszkami, piły koktajle owocowe i gapiły się w ogromny telewizor, w którym leciały teledyski. Na błyszczącej drewnianej podłodze leżał puchaty dywan, a na białej toaletce znajdowały się prezenty. Dołożyłam do nich zapakowaną książkę o Coco Chanel, którą babcia mi zamówiła, i podrapałam się po głowie. Miałam wrażenie, że pozostali czują się równie obco jak ja i że tak samo nie chcą tego po sobie pokazać. Tylko Anna Liza była rozbawiona, chichotała i bez przerwy zagadywała Dalilę. Wyglądem pasowała do kanapy: jasnofioletowa skórzana spódnica i jedwabna różowa bluzka.

Sayuri uśmiechała się do mnie, a ja do niej. Wzięłam sobie koktajl i usiadłam obok niej.

Kiedy już przez dobrą chwilę gapiłyśmy się w telewizor, Dalila zaczęła rozpakowywać prezenty. Dostała szminkę i lakiery do paznokci, płytę i dwie książki o Coco Chanel. Najpierw otworzyła tę ode mnie, a potem od Anny Lizy, która zrobiła głupią minę.

– Ale śmiesznie – powiedziała Dalila. – Teraz mam już trzy takie same. – Wskazała na regał, na którym stał cały zbiór książek o modzie.

Po rozpakowaniu wszystkich prezentów do pokoju weszła mama Dalili i powiedziała, że stół jest już nakryty. Dalila zaprowadziła nas do olbrzymiego salonu. Na ścianach wisiały obrazy i lustra w złotych ramach, a stół był ze szkła. Podano kawę z dużą ilością mleka i pianki, ale mimo iż wsypałam do filiżanki siedem łyżek cukru, i tak miała gorzki smak. Na stole stały też różne torty.

— Która z was całowała się już z chłopakiem? — zapytała Dalila, kiedy jej mama wyszła z pokoju.

— Ja — odrzekła Anna Liza.

— Naprawdę? — Luna, jedna z papużek nierozłączek, pochodząca z Włoch, zrobiła wielkie oczy. — A z kim?

— Z moim chłopakiem — odpowiedziała Anna Liza i rzuciła szybkie spojrzenie w moją stronę. Zacisnęłam usta.

— Ja też — zawtórowała Sayuri i uśmiechnęła się podstępnie. — Z moim młodszym bratem.

Anna Liza zachichotała i szturchnęła Dalilę w żebra.

— Masz młodszego brata? — zapytałam.

Szło lepiej, niż sobie wyobrażałam. Głowa mnie swędziała — jak zresztą cały czas od wczoraj. Najchętniej wciąż bym się drapała. — Ile ma lat?

— Dwa — odrzekła Sayuri.

— I kto się nim opiekuje? — dociekałam.

— Moja macocha — odpowiedziała Sayuri. — Mój brat mieszka z tatą w Korei.

— Och — odparłam rozczarowana.

— To on jest twoim przyrodnim bratem — stwierdziła Dalila.

111

— A wy też macie rodzeństwo? — rzuciłam pytanie w tłum. Najchętniej od razu zapytałabym o młodszych braci. Asra, druga z papużek, pochodząca z Turcji, miała starszą siostrę. Deborah, dziewczynka z brązowymi warkoczami, młodszą siostrę, a Sara, dziewczynka o okrągłej twarzy i grubych rudych lokach, dwóch starszych braci. Pozostałe koleżanki były jedynaczkami.

— A znacie kogoś, kto ma brata niemowlaka? — zapytałam, nie wytrzymując już swędzenia głowy.

— Nasza sąsiadka — odrzekła Dalila i przewróciła oczami. — Ten brzdąc urodził się dwa miesiące temu i swoim krzykiem budzi mnie każdego ranka. Nienawidzę bobasów.

— Ja też — podchwyciła Anna Liza i wsunęła sobie do ust kawałek wiśniowego tortu.

— A jak się nazywa wasza sąsiadka? — zainteresowałam się.

— Hessmann — odpowiedziała i zmarszczyła brwi. — A dlaczego pytasz?

— Ach — odrzekłam — tylko tak sobie.

Potem zapytałam, gdzie jest toaleta, i pobiegłam wzdłuż długiego korytarza do przedpokoju, wyciągnęłam ostatnie ogłoszenie z kieszeni kurtki, wymknęłam się przez drzwi wejściowe, wbiegłam po schodach i zadzwoniłam do drzwi państwa Hessmann.

Kiedy po trzecim dzwonku nikt nie otworzył, pobiegłam znowu na dół, poprosiłam mamę Dalili o długopis i wróciłam na górę.

„Jestem koleżanką Dalili", napisałam pod ogłoszeniem. Potem wsunęłam je do złotej skrzynki na listy i mocno ścisnęłam kciuki na szczęście.

Kiedy w salonie pomoc domowa sprzątała ze stołu, ktoś zadzwonił do drzwi. Wzdrygnęłam się. Sąsiadka? Już teraz?

— Teraz — powiedziała Dalila i klasnęła w ręce — impreza naprawdę się rozkręci.

Do salonu wszedł mężczyzna ubrany w czarne skórzane spodnie i jasnoróżową koszulę, rozpiętą prawie do pępka. Trzymał w ręce coś, co wyglądało jak skrzynka z narzędziami.

— Hello, ladies — powitał nas. — Jesteście gotowe?

Mężczyzna miał na imię Stanley i nie był majstrem, lecz wizażystą. Wyjaśniła nam to Dalila, a kiedy gość otworzył swoją skrzynkę, natychmiast pojęłam, na czym polega jego zawód. W środku znajdowały się akcesoria do makijażu.

— Urządzimy pokaz mody — zaproponowała Dalila. — Najpierw Stanley nas umaluje, potem się wystylizujemy, a na koniec zaprezentujemy nasze outfity.

— A co to są outfity? — zapytała Sayuri, podczas gdy inne dziewczynki chichotały jak dzikie.

— Ciuchy — odpowiedziała Dalila. — Moja mama jest stylistką. Ma jeszcze garderobę ze swojego ostatniego shootingu, i jeśli będziemy ostrożne, to możemy sobie te rzeczy pożyczyć.

– A kim jest stylistka? – zapytała Asra.

– To ktoś, kto ubiera innych ludzi – odpowiedziałam. Pamiętałam to z planu zdjęciowego filmu Raszki i Glorii, a teraz przypomniałam sobie jeszcze, że tam również była wizażystka. Jednak tutaj nie odbywały się zdjęcia do filmu, lecz przyjęcie urodzinowe. Może to fajny pomysł, ale ja się czułam trochę jak na obcej planecie.

Niebywałe: ja – w przeciwieństwie do Anny Lizy – rzeczywiście miałam chłopaka, z którym już wiele razy się całowałam. Wprawdzie nie tak naprawdę, bo na to jeszcze się nie odważyliśmy i na razie tego nie chciałam. Tak czy inaczej, całowaliśmy się w usta i jak to przy pocałunkach bywa, ciarki chodziły mi wtedy po plecach. Natomiast na to, co się tutaj działo, poczułam się nagle za młoda. Wolałabym pobawić się w słup soli, poskakać na trampolinie lub potańczyć. Być może z Raszką, Fryderyką i Glorią pokaz mody też by mi się spodobał. Tylko wtedy byłby on bardziej zabawą, a nie prawdziwym *show* jak tutaj. Czułam, że chodzi tylko o to, kto na końcu będzie najlepiej wyglądał, a to już teraz było wiadomo. Na pewno nie mała Luna, pulchna Asra czy staromodna Deborah z niezgrabną figurą. Wszystkie miały bardzo spłoszone miny, a siedząca obok mnie Sayuri szepnęła mi do ucha:

— Ale jazda, co?

Przytaknęłam.

Twarz Anny Lizy płonęła.

— Mogę być po tobie? — zapytała Dalilę, którą Stanley malował jako pierwszą. Rozprowadził na jej twarzy jasnobrązową pastę, wypudrował policzki, na powieki położył srebrne i jasnozielone cienie, na rzęsy nałożył tusz, a usta pomalował jasnoczerwoną pomadką. Jej miodowe włosy uczesał w kok i kiedy Dalila wstała i zaczęła przeglądać się przed lustrem, wyglądała jak prawdziwa modelka.

Potem przyszła kolej na Annę Lizę. Kiedy Stanley zapytał, która z nas chce być następna, wszystkie poruszyłyśmy się na swoich krzesłach, ale żadna się nie zgłosiła.

— Lola — wskazała Anna Liza, skubiąc końcówki swoich blond włosów, które Stanley za pomocą grzebieni i spinek upiął do góry. Wyglądała głupkowato, jak odpicowana damulka. Głowa swędziała mnie do szaleństwa.

— Możesz przestać ciągle się drapać? — poprosił Stanley, pudrując mi twarz. Teraz swędziały mnie dodatkowo nos i brwi. Zamknęłam oczy i otworzyłam je dopiero, kiedy Stanley przeczesując mi szczotką włosy, wydał przeraźliwy krzyk. Usłyszałam słowo „wszy" i nagle wszystkie koleżanki zaczęły wrzeszczeć, jedna przez drugą, a najgłośniej Anna Liza.

*

Kwadrans później siedziałam umazana w przedpokoju i czekałam na dzwonek do drzwi.

Mama Dalili zatelefonowała do moich rodziców, a kiedy papai stanął w drzwiach, wgapiła się w niego, jakby był małpą z dżungli.

— Czy przysłali pana rodzice Loli? — zapytała ostro.

— Jestem ojcem Loli — odpowiedział papai lekko drżącym głosem.

Mama Dalili patrzyła to na niego, to na mnie, po czym wycedziła przez zaciśnięte usta:

— Pańska córka jest kompletnie zawszona. Jak pan mógł dopuścić, żeby dziecko w takim stanie przekroczyło próg naszego domu?! Może to normalne tam, skąd pan pochodzi, ale tu, w Niemczech...

— Wystarczy — przerwał jej papai. Przez jego twarz przebiegł skurcz. Przecisnął się obok mamy Dalili i podniósł mnie z podłogi. — Chodź, Cocada. Weź swoją kurtkę. Znikamy z tego... DOMU. — Ostatnie słowo zaakcentował, jakby właściwie chciał powiedzieć „gównianego domu".

W drodze do domu papai włączył odtwarzacz w samochodzie. Leciała piosenka brazylijskiego piosenkarza Chico Cesara zatytułowana *Mama Africa*. Papai tak podkręcił głośność, że muzykę czułam w zębach.

— Ta kobieta potraktowała mnie, jakbym był niewolnikiem, który przywiózł wszy z dżungli — pomstował, kiedy weszliśmy do domu.

Od kogo naprawdę przywędrowały wszy, dowiedzieliśmy się kwadrans później. W drzwiach stanęła babcia z ciotką Lisbeth.

— Musiała się zarazić w przedszkolu — stwierdziła.

— Dzisiaj wszyscy do siebie dzwonili. Piętnaścioro dzieci to złapało i Lisbeth też.

— Hop, hop — odezwała się ciotka i postukała w głowę. — Wszy mają imprezę.

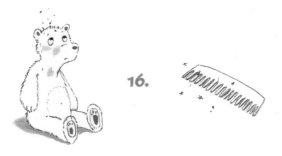

Rusza odwszawianie,
a ja chcę zrobić porządek

Ciotka Lisbeth też wyprawiała przyjęcie – swoim pluszakom. Jej miś polarny Krwawy Knut skończył dzisiaj trzy lata. Lisbeth posadziła wszystkich urodzinowych gości wokół przewróconej skrzynki na owoce i podała kruche ciasto.

Teraz, kiedy przyjęcie już się skończyło, ciotka darła się jak opętana, bo babcia całe urodzinowe towarzystwo zapakowała do niebieskiego worka na śmieci. Ta metoda była zalecana na ulotce środka przeciw wszom, a babcia wyjaśniła nam, że wszy są jak maciupeńkie wampiry.

– Bez krwi przeżyją tylko kilka dni – tłumaczyła swojej córce. – Potem dostaniesz swoje pluszaki z powrotem. A jeśli chcesz, Knut może pójść do zamrażarki, wówczas już jutro rano będzie mógł wyjść na wolność.

Ciotka Lisbeth uspokoiła się dopiero wtedy, kiedy przekonałam ją, że skoro Knut jest misiem polarnym, z pewnością od dawna pragnął spędzić noc wśród lodu.

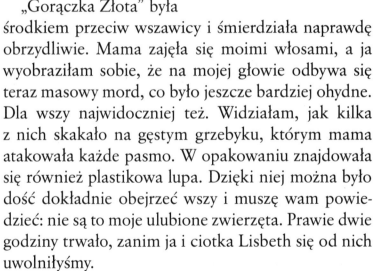

Kiedy jednak babcia i mama spryskały nam włosy „Gorączką Złota", ciotka na nowo zaczęła wrzeszczeć:

— To cuchnie jak pijak!

„Gorączka Złota" była środkiem przeciw wszawicy i śmierdziała naprawdę obrzydliwie. Mama zajęła się moimi włosami, a ja wyobraziłam sobie, że na mojej głowie odbywa się teraz masowy mord, co było jeszcze bardziej ohydne. Dla wszy najwidoczniej też. Widziałam, jak kilka z nich skakało na gęstym grzebyku, którym mama atakowała każde pasmo. W opakowaniu znajdowała się również plastikowa lupa. Dzięki niej można było dość dokładnie obejrzeć wszy i muszę wam powiedzieć: nie są to moje ulubione zwierzęta. Prawie dwie godziny trwało, zanim ja i ciotka Lisbeth się od nich uwolniłyśmy.

Papai i dziadek odkurzyli dywany, fotele i kanapy. Pościel we wszystkich łóżkach musiała zostać zmieniona. Wszystkie ręczniki poszły do prania, tak jak — dla pewności — kurtki i reszta ubrań, które nosiliśmy w ostatnich tygodniach.

Kiedy już narożnik ze starych poduch został odkurzony, szafa w moim pokoju przebrana, a łóżko nakryte czystą pościelą, mama klapnęła na nie zmęczona. Oparłam się o drzwi i rozejrzałam wokół.

– Chcę mieć inaczej – stwierdziłam.

– Inaczej? Co masz na myśli? – Mama złapała się za kręgosłup i jęknęła cicho.

– Mój pokój – odrzekłam. – Chcę go inaczej urządzić. Już nie tak... dziecinnie.

– A co jest w nim dziecinnego? – Mama zmarszczyła brwi.

– No, wszystko – odparłam i popatrzyłam na zbudowany z pudełka superekspresowy statek kosmiczny, na skrzynię z rzeczami do przebierania, scenę z cegieł i pomalowanych desek, na szafę oklejoną kolorowymi naklejkami. Wśród nich była nawet jedna ze Słoniem Benjaminem.

– Chcę mieć nowe meble – stwierdziłam.

– Właściwie chcieliśmy o tym z tobą porozmawiać – włączył się papai, który dosiadł się do mamy na łóżko. – Kiedy twój brat się urodzi, będziemy musieli zmienić kilka rzeczy, bo on też będzie potrzebował miejsca.

– Ale chyba nie tutaj? – powiedziałam i nagle mój głos stał się zdecydowany.

– Nie mamy drugiego pokoju dziecięcego – rzekł papai. – A nowe meble musimy kupić najpierw dla twojego brata.

Pomyślałam o pokoju Dalili z wielką kanapą, telewizorem i przytulnym dywanem i popatrzyłam na tatę ze złością.

– Czy to ma znaczyć, że na moje życzenia znowu nie ma pieniędzy, a na dodatek muszę się podzielić maciupeńkim pokoikiem?

– Po pierwsze, twój pokój nie jest maciupeńki – odparł papai. – A po drugie, wkrótce przestaniesz być jedynaczką. W Brazylii dzieliłem pokój z czterema siostrami.

– Ale nie jesteśmy w Brazylii! – oświadczyłam, a mój głos stał się naprawdę donośny. – Jesteśmy w Niemczech. I ten pokój należy do mnie. Mój brat może spać u was, a bawić w salonie!

– Może przełożymy tę dyskusję na później – zaproponowała mama, która wyglądała na bardzo zmęczoną. – Lola ma rację. Na początku mały może spać u nas, a potem zobaczymy. A jeśli chcesz coś zmienić w swoim pokoju, to popatrz najpierw, co byś chciała wynieść, dobrze?

Uśmiechnęła się do mnie ciepło, a ja poczułam się całkiem zagubiona. Najpierw te głupie urodziny u Dalili, potem wszy, a teraz to. Sama siebie nie rozumiałam. Cieszyłam się na narodziny brata i oczywiście chciałam się z nim tutaj bawić. Ale to miał być nadal mój pokój. Nie chciałam się nim dzielić – w każdym razie nie na zawsze.

– Czy mogę zaprosić Raszkę? – zapytałam.

– Sam nie wiem. – Papai zrobił niepewną minę. – Wolałbym, żeby się u nas nie zaraziła. Mam na myśli wszy.

– Już po nich – rzekła mama. – Jeśli chcesz, możesz zadzwonić do Raszki.

Godzinę później moja najlepsza przyjaciółka była już u mnie. Jeszcze nigdy nie cieszyłam się na jej widok tak jak dziś. Papai zrobił pizzę, którą jadłyśmy u mnie w pokoju na podłodze. Opowiedziałam Raszce o nieudanym dniu, a ona skomentowała wszystko jak należy. Że powinnam olać Dalilę i Annę Lizę i że w końcu mogę liczyć na nią i Fryderykę, i Aleksa, i Sola, i Fabia, przeciwko którego przyjaźni Alex na szczęście już nic nie ma.

Potem mówiłam o moim pokoju, o tym, że chciałabym go zmienić, a ona zaproponowała, że jeśli chcę, pomoże mi w porządkowaniu.

– Scenę możemy wyrzucić – stwierdziłam. – I głośniki z kartonu również.

– Słusznie – poparła mnie Raszka. Stanęła na scenie i rozglądała się, szukając czegoś. – Czy masz jeszcze mikrofon?

Wskazałam na drewnianą skrzynię.

– Chyba tam, w środku.

– Jest. – Raszka chwyciła mikrofon, który składał się ze starej butelki po coli, do której kiedyś przykleiła piłeczkę pingpongową owiniętą folią aluminiową. Butelkę okręciła czarną tekturą, a na końcu przymocowała kawałek kabla telefonicznego. — Pamiętasz jeszcze? — zapytała.

Przytaknęłam i uśmiechnęłam się szeroko.

— To był nasz wspólny występ — powiedziałam. — Przypominasz sobie, co śpiewałyśmy?

— Weo, weo — zaśpiewała Raszka.

— Kiss men — zawtórowałam. — Laf gerl.

Nie mogłyśmy powstrzymać się od śmiechu.

— Wtedy nie znałyśmy jeszcze angielskiego — stwierdziła Raszka.

— Ale te słowa owszem — zauważyłam. — Właściwie ta piosenka jest całkiem *cool*.

— Zgadza się — przytaknęła Raszka. — Ty byłaś Jacky Jones, a ja Stellą Star.

Chwyciła żółty plastikowy stołek i zaczęła na nim bębnić.

TAMM, TAMM, TAMM, TAMM....

Wskoczyłam do niej na scenę i się zaczęło. Zaintonowałyśmy piosenkę, Raszka bębniła, ja kręciłam pupą, aż tu nagle drzwi się otworzyły i do pokoju weszła ciotka Lisbeth.

— Ja też chcę! — zawołała. — Chcę być waszą fanką!

Wybuchnęłyśmy śmiechem.

— To musisz piszczeć, ciotko Lisbeth — zaproponowałam. — I rzucać się przed nami na podłogę.

I ciotka nas posłuchała. Potem to ona chciała być gwiazdą, a my zostałyśmy jej fankami. Kiedy już ochrypłyśmy od krzyku, zbudowałyśmy ze starych ka-

napowych poduch twierdzę. Lisbeth wcieliła się w rolę księżniczki, ja – smoka, który chciał ją pożreć, a Raszka – rycerza. Chwyciła mój stary plastikowy miecz i stoczyłyśmy dziką walkę.

– Hej wy, Hotentoci! – Mama wsadziła głowę do pokoju. – Czas zbierać się do spania.

Godzinę później usłyszałam ciche chrapanie Raszki. A ja nie mogłam zasnąć i świeciłam latarką po pokoju. Światło wędrowało po scenie, po kanapowej twierdzy i po superekspresowym statku kosmicznym, z którego dochodziło mruczenie Śnieżki.

Wtedy poczułam, jak mi ciężko na sercu. Chciałam mieć nowy pokój z nowymi rzeczami, a jednocześnie nie chciałam się rozstać ze starym. Nagle zapragnęłam mieć jeden i drugi. Mały i duży. Te dwie rzeczy nie dawały się pogodzić i im dłużej o tym rozmyślałam, tym było mi smutniej. Wymknęłam się do przedpokoju. Właściwie zamierzałam pójść do kuchni, ale nogi zaniosły mnie do sypialni.

Spod drzwi padały jeszcze smugi światła. Nacisnęłam klamkę.

– Lola? – Mama usiadła na łóżku. – Co się dzieje?

– Nie mogę spać – pisnęłam.

Mama uniosła kołdrę. Wtuliłam się w nią i wdychałam jej ciepły, miękki zapach. Papai leżał obok i spał. Nie poszedł dzisiaj do restauracji.

Mama głaskała mnie po głowie, która wciąż śmierdziała środkiem przeciwko wszom. Za tydzień są moje urodziny. Za tydzień skończę jedenaście lat.

– Też bym chciała urządzić przyjęcie. Dla starych przyjaciół. W restauracji. Chciałabym zorganizować dyskotekę dla dzieci. Myślisz, że to się uda?

– Porozmawiamy o tym z tatą, dobrze? – Mama dała mi całusa. Potem wstrzymała oddech i powiedziała: – Hopla, a cóż to?

Odsunęła kołdrę z brzucha. Papai się odwrócił.

– Co się stało? – wymamrotał i potarł oczy.

– Lola nie może spać – powiedziała mama. – I nasz mały też właśnie się obudził. Spójrzcie.

Papai od razu oprzytomniał.

Patrzyliśmy na brzuch mamy. Najpierw nic się nie działo, ale potem nagle pojawił się wzgórek. I poruszał się na prawo i na lewo.

— Och, Vicky! — Papai promieniał niczym mały chłopiec. — Nasz syn gra w piłkę nożną. Łup! Widziałyście to? Myślę, że to była jego stopa. Łup — jeszcze raz!

Ja nie widziałam żadnej stopy. Właściwie skóra na brzuchu mamy tylko trochę się wybrzuszała, jednak papai nie panował nad sobą ze szczęścia. Ja również próbowałam się cieszyć, ale jakoś mi się to nie udawało.

— Chciałam cię o coś zapytać, papai — powiedziałam.

— Nie teraz, Cocada — odparł i pocałował mamy brzuch. — Zrobić ci herbatę, Vicky? Jesteś głodna?

Zeszłam z łóżka.

— Idę spać — oznajmiłam.

Mama przesłała mi buziaka, a papai rzekł:

— No chodź, mały książę. Kopnij jeszcze raz dla tatusia.

W niedzielę rozmawiałam przez telefon z Aleksem. Już wiedziałam, że nie będzie mógł przyjechać na moje urodziny. On z kolei nie wiedział jeszcze, dokąd pojedzie ze swoją *maman* na ferie. Opowiedziałam mu o imprezie urodzinowej u Dalili i o wszach, a Alex przypomniał, że ubiegłego lata połowa uczniów w je-

go klasie miała wszy, a najbardziej ucierpiała Marie-
-Lu. Trochę mnie to uspokoiło. Smutno mi było, że
tylko słyszałam jego głos. Tak bardzo za nim tęskniłam, że poprosiłam, aby przysłał mi swoje zdjęcie,
bym przynajmniej mogła na niego patrzeć podczas
rozmowy telefonicznej.

Po południu poszłam z Raszką i Solem do
kina. Raszka siedziała w środku, a Sol obejmował ją ramieniem. Raz połaskotał ją
w ucho, a ona zachichotała, chociaż scena
w filmie była właśnie bardzo smutna. Mnie
też było smutno, bo teraz Aleksa brakowało
mi jeszcze bardziej niż wcześniej.

Kiedy wróciłam do domu, mama stała przy telefonie. Wyglądała jak ryba bez wody, bo ciągle łapała powietrze. Papai stał obok niej oparty o ścianę, a czoło
miał całe w zmarszczkach.

– Nie! – syczała mama. – Nie rodziców takich jak
my. Matki takie jak pani powinno się wydalić z Nie-
miec!

Potem rzuciła słuchawką.

– O co chodziło? – zapytał papai. Mama podeszła
do nas. Jej twarz pokrywały czerwone plamy. Zwykle
dostaje ich, kiedy zje truskawki.

– To była sąsiadka Dalili! – wybuchnęła i rzuciła
dziwne spojrzenie w moją stronę. – Otrzymała ulotkę
i dowiadywała się u matki Dalili, co to za superniania
pragnie wspaniale zorganizować czas bobaskowi.

— Superniania, która wspaniale organizuje czas bobasom? — Papai jeszcze mocniej zmarszczył czoło. — Kto by tak o sobie mówił?

„Ja" — pomyślałam. Ale nie musiałam nic wyjaśniać, bo sąsiadka Dalili najwyraźniej wszystko już mamie przekazała.

— „Dziesięcioletnia dziewczynka z ojcem Murzynem i głową pełną wszy" — mama zacytowała jej słowa. Przy tym głos jej się łamał jak suchy chleb tostowy.

— Boże, po prostu nie mogę uwierzyć, że są jeszcze tacy ludzie. Czy to się nigdy nie skończy?

Położyła ręce na brzuchu i zalała się łzami.

Papai zacisnął dłonie w pięści.

A ja poszłam do swojego pokoju i zaszyłam się w superekspresowym statku kosmicznym.

Po kilku godzinach rodzice do mnie zapukali. Ten telefon tak bardzo ich zdenerwował, że nawet się na mnie nie zezłościli z powodu ogłoszeń. Poprosili mnie tylko, abym im obiecała, że już nigdy więcej nie powtórzę takiej akcji. Po tym dniu nie miałam zamiaru.

Straszny dzień
i zapomniany wpis

Bardziej zaraźliwe niż wszy są najwyraźniej informacje o kimś, kto ma wszy. Kiedy następnego dnia weszłam do klasy, Marcel drapał się po głowie i wydawał z siebie małpie odgłosy, co wywołało dzikie wycie i chichot. Dziewczynki zebrały się wokół ławki Dalili, ale kiedy z zaciśniętymi zębami skierowałam się ku swojemu miejscu, rozproszyły się, jakbym była groźną kosmitką. Anna Liza usiadła na moim krześle i pociągnęła Sayuri na swoje.

— Tutaj jest zajęte — powiedziała i dodała ze zjadliwym uśmiechem: — Strefa wolna od wszy, jeśli rozumiesz, co mam na myśli.

Sayuri spuściła głowę, podczas gdy Dalila patrzyła na mnie z obrzydzeniem. Swędziało mnie. Tym razem nie głowa, lecz ręce. Chciałam spoliczkować Annę Lizę, tak jak kiedyś na przyjęciu urodzinowym, kiedy wobec wszystkich moich przyjaciół obgadywała naszą restaurację. Ale teraz moich przyjaciół tutaj nie było. Stałam sama w nowej klasie i wszyscy gapili się na mnie, a ja nagle nie mogłam sobie przypomnieć, dlaczego kiedyś się cieszyłam, że będę chodzić do tej szkoły. Powieki pulsowały mi i paliły, a małpie odgłosy za moimi plecami stawały się coraz głośniejsze. Zamknęłam dłoń na wiszącym na mojej szyi srebrnym lwie, którego podarował mi Alex. Pragnęłam, aby stał się wielki jak prawdziwy lew, który tylko mnie słucha i którego mogłabym poszczuć na te wszawe małpy.

— Co tu się dzieje? — Przez harmider przebił się nagle głos pani Kronberg. — Jestem w zoo czy co?

Małpie hałasy ucichły. Wszyscy wrócili na miejsca. Ja nadal stałam jak osłupiała i kiedy pani Kronberg powtórzyła swoje pytanie, kierując je do mnie, zacisnęłam zęby tak mocno, że szczęka mi zatrzeszczała.

Odpowiedź nadeszła od Anny Lizy:

— Lola ma wszy! — krzyknęła.

Pani Kronberg zmarszczyła brwi.

— Czy to prawda? — zapytała mnie.

W klasie zapadła cisza jak makiem zasiał, a ja czułam się jak przestępca przed sądem. Oczy pulsowały mi jak szalone i ścisnęło mnie w klatce piersiowej. W tornistrze miałam list, który mama kazała mi dzisiaj dać wychowawcom. Było w nim napisane, że już nie mam wszy i że na życzenie mogę dostarczyć zaświadczenie lekarskie.

– Lola? – Pani Kronberg zrobiła krok w moją stronę. Popatrzyła na moje włosy. – O coś cię pytałam. Jesteś niemową?

„Może – pomyślałam. – A w dodatku chyba niedosłyszę". Po prostu nie mogłam uwierzyć, że pani Kronberg pytała mnie, czy Anna Liza powiedziała prawdę. Co chciała w ten sposób osiągnąć? Że będę się tłumaczyć przed całą klasą? Albo że opuszczę salę? To ostatnie chętnie uczynię! W moje ciało znów wstąpiło życie. Mijając nauczycielkę, rzuciłam się do wyjścia i popędziłam do domu.

Godzinę później przyszła mama. Pani Kronberg zadzwoniła do niej do szpitala. Po pierwsze, aby jej przekazać, że opuściłam szkołę bez pozwolenia, a po drugie, aby wyrazić ubolewanie z powodu dzisiejszego zajścia i powiedzieć, że odbyła długą rozmowę z moimi kolegami z klasy.

– Kolegami?! – Zapieniłam się. – To zasmarkani gówniarze, wszyscy razem i każde z osobna. Nienawidzę tej szkoły, nienawidzę tej klasy. Nigdy więcej tam nie pójdę!

Mama przytuliła moją głowę, która nadal śmierdziała głupim środkiem przeciw wszom, a potem wstała, bo zadzwonił telefon. Zaraz wróciła do pokoju ze słuchawką w ręce i z uśmiechem na ustach.

— Do ciebie — oznajmiła.

Po drugiej stronie była Sayuri.

— Przykro mi, że byliśmy dzisiaj tacy głupi — powiedziała. — Przyjdziesz jutro do szkoły?

— Tak — odrzekłam. — Ale nie dlatego, że chcę, lecz dlatego, że muszę.

Potem odłożyłam słuchawkę.

Mama nadal stała w drzwiach. Uśmiech zniknął z jej twarzy. Prawdopodobnie usłyszała, że Sayuri przepraszała. Widziałam, że mama jest rozczarowana.

— To była raczej krótka rozmowa — stwierdziła.

— To moja sprawa — warknęłam. — To nie była twoja krótka rozmowa, lecz moja, zrozumiano?

Zagrzebałam słuchawkę pod poduszką i założyłam ręce na piersi. Czułam się jeszcze podlej niż wcześniej. Bo teraz byłam wściekła nie tylko na innych, lecz także na siebie samą. A teraz jeszcze mama zaczęła mi perswadować:

— Myszko, nie komplikuj sobie życia, jest wystarczająco trudne. To naprawdę w porządku ze strony Sayuri, że przeprosiła. Na pewno nie przyszło jej to łatwo i...

— STOOP! — krzyknęłam i rzuciłam mamie ostre spojrzenie. To, co mówiła, nie pomagało mi w najmniejszym stopniu. Wręcz przeciwnie. Mama wie dokładnie, że jestem pamiętliwa. Nie umiem nacisnąć na przycisk i stać się nagle miła tylko dlatego, że ktoś mnie przeprosił. Dlaczego teraz tego nie rozumiała? I dlaczego miałam wrażenie, że nawet ona nie jest po mojej stronie?

Westchnęła. Wyglądała na wyczerpaną i zniecierpliwioną.

— Muszę wracać do pracy — powiedziała. — Dasz sobie radę, dopóki papai nie wróci z „Perły Południa"?

Położyła rękę na brzuchu, który w ostatnich tygodniach zrobił się jeszcze większy. Mój młodszy brat też z pewnością urósł. Ale sam nie poradziłby sobie jeszcze na świecie. I wcale nie musiał. Dzień i noc mama nosiła go wszędzie. Nagle nie pragnęłam niczego bardziej, niż znowu znaleźć się w brzuchu mamy i nie słyszeć ani nie widzieć tego głupiego świata.

Jednak to miejsce było zajęte, a moje pragnienie oczywiście zupełnie absurdalne. Dlatego odpowiedziałam, że owszem, dam sobie radę. Mama wyglądała na zadowoloną. Uśmiechnęła się do mnie zachęcająco i powiedziała, że w kuchni został jeszcze kawałek tortilli. To hiszpański omlet kartoflany, który bardzo lubię.

Ale dzisiaj nie czułam głodu.

Kiedy mama wyszła, postanowiłam zadzwonić do Raszki, a kiedy nikt się nie zgłosił, zatelefonowałam do Fryderyki, a potem do Sola. Złapałam wreszcie wszystkich u Anzelma. We czworo siedzieli nad klasowym projektem z biologii. Anzelm zaproponował, żebym do nich dołączyła, ale nie miałam na to ochoty. Zadzwoniłam do Aleksa, potem do Glorii i nawet do Fabia, ale nikogo z nich nie zastałam. Śnieżka wyszła przcz klapkę w drzwiach na zewnątrz. Znalazłam ją w ogrodzie naszej sąsiadki Vivian Balibar — której również nie było w domu. Pojechała na wakacje do przyjaciółki w przytulisku, w którym mieszkała również moja koza Bielutka. Zamierzałam ją odwiedzić podczas ferii jesiennych, ale do tego czasu musiałam jeszcze przeżyć kilka tygodni w szkole. Chwyciłam kalendarz i postanowiłam przy każdej kratce dnia szkolnego rysować trupią czaszkę, nawet w sobotę, kiedy będę obchodzić urodziny. Na razie wszystkie kratki były puste, poza dzisiejszą, 27 września. Pomarańczowym flamastrem zapisałam tutaj: „godz. 16–17 — grupa taneczna?".

Przypomniałam sobie, jak przed kilkoma tygodniami wpisywałam ten termin. Specjalnie małymi literkami, żeby zostawić miejsce na godziny opieki nad dzieckiem. Te terminy mogłam sobie teraz wybić z głowy. Skoro akcja ogłoszeniowa wyszła na jaw, straciłam jakiekolwiek szanse. Raszka miała rację: cały ten pomysł był bez sensu. Ale za to znak zapytania przy grupie tanecznej nie oznaczał już pytania. Tak bardzo go ścisnęłam na marginesie, że wyglądał teraz jak wykrzyknik.

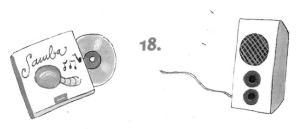

SAMBA, HIP-HOP
I *CIAO, CIAO, CIAO*

Odkąd jestem w lwiej szkole, sześć razy mieliśmy WF. Nasz nauczyciel to starszy pan z wąsami, ubrany w znoszone dresy. Najczęściej graliśmy w piłkę, a kiedy lekcja się kończyła, w sali cuchnęło spoconymi pachami i śmierdzącymi stopami. Dzisiaj wielkie okna sali gimnastycznej były otwarte. Jasne światło słoneczne padało na drewnianą podłogę, na której stało około dwudziestu nastolatków. Więcej dziewczyn niż chłopców, prawie wszyscy o głowę wyżsi ode mnie. Mnie jeszcze nikt nie widział. Może dlatego, że byłam przyciśnięta do drzwi hali. Fabio rozmawiał z kilkoma starszymi kolegami, podczas gdy Gloria gestykulowała obok ciemnoskórej kobiety, której długie czarne loki przytrzymywała żółta przepaska. Rozmówczyni Glorii była drobna i ubrana w wąskie legginsy i białą koszulkę na ramiączkach, dzięki czemu jej skóra sprawiała wrażenie jeszcze ciemniejszej.

Również Gloria, tak jak i inne dziewczęta, miała na sobie obcisłe spodnie gimnastyczne i krótką koszulkę. Chłopcy byli ubrani w spodnie dresowe. Przełknęłam ślinę i popatrzyłam na siebie.

Przybiegłam w takim pośpiechu, że w ogóle nie pomyślałam o tym, aby wziąć coś na zmianę. Czy w dżinsowych krótkich ogrodniczkach i rozciągniętym T-shircie można ćwiczyć? Czy oni W OGÓLE mnie dopuszczą?

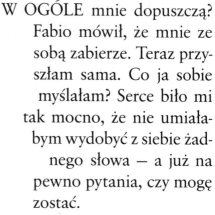

Fabio mówił, że mnie ze sobą zabierze. Teraz przyszłam sama. Co ja sobie myślałam? Serce biło mi tak mocno, że nie umiałabym wydobyć z siebie żadnego słowa — a już na pewno pytania, czy mogę zostać.

Pan Demmon siedział ze skrzyżowanymi nogami przed stolikiem na kółkach, na którym stała wieża, i przeglądał płyty w wielkiej czarnej teczce. Wyjął jedną, wstał, wsunął do odtwarzacza i zaraz rozbrzmiał znany hiphopowy kawałek. Nasz nauczyciel klasnął w dłonie i przywołał grupę. Wszyscy zaczęli się rozgrzewać według jego wskazówek. Biegali w rytm muzyki, poruszali biodrami w prawo i w lewo, wypychali klatkę piersiową do przodu, rozciągali ramiona i nogi, wykonywali krążenia barkami i głowami. Przez ciało przeszły mi ciarki, jak zawsze kiedy słyszę muzykę. Tysiące mrówek pędziło teraz przez moje żyły i chciało, abym się ruszała. Zwykle tańczę w domu sama w swoim pokoju lub z tatą, albo w „Perle Południa", kiedy gra zespół lub odbywa się dyskoteka dla dzieci. Ostatni raz tańczyłam w Brazylii z kuzynką Gabriellą. Nigdy nie chodziłam na kurs tańca, a tym bardziej jako nowa i najmłodsza, a przede wszystkim niezaproszona uczestniczka. Kiedy wszystkie te rzeczy krążyły mi po głowie, pan Demmon mnie zauważył. Wyraźnie się zdziwił, ale od razu się do mnie uśmiechnął. W następnej chwili zobaczył mnie również Fabio. Jego twarz rozjaśniła się na mój widok. Machnął do mnie, ale ja zagryzłam wargi i pokręciłam głową. „Uciekaj stąd" — mówiła mi głowa. „Idź do nich" — nalegało ciało.

Teraz w moją stronę obróciła się też starsza dziewczyna, ubrana w bardzo obcisły kostium ze stretchu, z długimi blond włosami związanymi w koński ogon, który wciąż podskakiwał. Przełknęłam ślinę. To była Sally. Dziewczyna z przedstawienia. I ze zdjęcia w garażu Grazielli. Wyglądała zniewalająco. Tylko uśmiech na jej ustach był nieco odpychający. Jakby chciała mnie zapytać: „A czego ty tu szukasz?". Sama się nad tym zastanawiałam.

— Stopy! — zawołał pan Demmon, przekrzykując muzykę. — Teraz skoncentrujcie się na stopach. One

137

są szefem, reszta ciała idzie za nimi. Nie myślcie, tylko róbcie to, co one wam podyktują.

Wszyscy zaczęli biegać, skradać się, tupać i podskakiwać. Widać było, że to dla nich żadna nowość. Najwyraźniej tylko ja przyszłam tam po raz pierwszy. Nikt nie chichotał, nikomu nie było głupio, po prostu się ruszali. Sally tańczyła na palcach, rozciągała całe ciało, a potem wykonała kilka lekkich skoków.

Pan Demmon popatrzył na mnie i nagle wiedziałam, kogo mam słuchać. Moje stopy chciały wyjść z tenisówek, a ja zrobiłam to, co one nakazywały.

Wciąż trzymałam się blisko drzwi i kołysałam się na palcach, najpierw lekko, a potem coraz mocniej, aż zaczęłam podskakiwać i brykać w takt muzyki. Teraz zobaczyła mnie również Gloria. Uśmiechnęła się i uniosła kciuk, robiąc jednocześnie drobne kroczki.

— A teraz kolana! — zawołał pan Demmon. — Ugnijcie je, rozciągnijcie, róbcie nimi koła, a ciało niech idzie za wami.

Podciągnęłam prawe kolano do góry, odciągnęłam je na bok, odstawiłam i czułam, że moje nogi i biodra automatycznie szły za ruchem. Zdziwiłam się. Dopiero zauważyłam, że nigdy dotąd nie myślałam o kolanach, poza jednym razem, kiedy spadłam z roweru i otarłam sobie rzepkę. Ale teraz kolano stało się szefem mojego ciała i niezmiernie ekscytujące było poczuć, co w nim tkwiło.

Dalej w ruch poszły biodra, potem klatka piersiowa, łokcie, a na końcu ręce. Zezowałam w stronę Sally, która w powietrzu wykonywała rękami koła nad głową jakby w tańcu z welonami, a do tego krążyła biodrami szybko, coraz szybciej.

Kiedy piosenka się skończyła, pan Demmon kazał nam uformować okrąg. Obok niego stała ciemnoskóra kobieta. Patrząc raz na nią, raz na Fabia, dostrzegłam, jak bardzo są do siebie podobni. To była jego mama. Stanęłam obok Glorii, a serce zaczęło mi mocno bić.

— Wygląda na to, że dzisiaj mamy w naszej grupie dwie nowicjuszki — oznajmił pan Demmon i zwrócił się do ciemnoskórej kobiety. — Chciałbym wam przedstawić Darię da Silva. Pochodzi z Brazylii i od wielu lat pracuje w Niemczech jako tancerka i nauczycielka tańca. W ubiegłym roku prowadziła u nas w szkole kurs capoeiry, a w tym roku udało mi się ją pozyskać do naszego zespołu. — Położył jej rękę na ramieniu. — Cieszymy się, że jesteś z nami.

Wszyscy klaskali, Fabio także. Kobieta uśmiechnęła się do nas i skinęła lekko głową.

Wiecie, co wydało mi się fajne? Że Fabio nie wstydził się uczestniczyć

w kursie, który prowadziła jego mama. Nie sprawiał też wrażenia, że się tym chełpi. On po prostu uczył się ze wszystkimi. Ja natomiast znowu poczułam się potwornie głupio. Zwłaszcza kiedy pan Demmon popatrzył na mnie i wszyscy skierowali wzrok w moją stronę. Zrobiło mi się gorąco. Po raz drugi tego dnia byłam w centrum zainteresowania i pragnęłam stać się niewidzialna.

– To jest Lola – przedstawił mnie nauczyciel. – Chodzi do piątej klasy, a jej tata również pochodzi z Brazylii. – Uśmiechnął się do mnie. – Właściwie nasza grupa jest dla zaawansowanych, ale od Fabia wiem, że masz doświadczenie w tańcu. Kilka tygodni temu mówił mi, że zapyta cię, czy nie chciałabyś do nas dołączyć, i jak widzę, zdecydowałaś się.

Przytaknęłam. Nie potrafiłam nic powiedzieć, bo w dalszym ciągu wszyscy na mnie patrzyli. Ale ich spojrzenia nie były podłe jak te moich kolegów przed południem. Wyglądali raczej na zaciekawionych, a kilkoro starszych na rozbawionych. Fabio szepnął coś do ucha chłopakowi stojącemu obok niego, a Gloria chwyciła mnie za rękę i mocno ją uścisnęła. Od razu poczułam przypływ odwagi!

– Fajnie, że jesteś z nami – powiedziała Daria. Uśmiechała się tak samo szeroko jak Fabio. Zdobyłam się na kiwnięcie głową, miałam nadzieję, że wszyscy nie zaczną teraz wołać „buuu!". Ale nic takiego się nie stało. Zamiast tego, stojąc w kole, przedstawiali się po kolei i opowiadali panu Demmonowi i Darii, o czym myśleli w związku z nowym projektem. Chcieli połączyć kilka stylów tańca tak, aby powstał układ choreograficzny, który na koniec semestru zaprezentowalibyśmy w auli. Treningi miały odbywać się dwa razy w tygodniu, w poniedziałki i środy.

Pan Demmon dawał dotychczas lekcje hip-hopu i tańca współczesnego, a Daria miała przejąć naukę gatunków brazylijskich.

I od tego zaczęliśmy zajęcia. Daria powiedziała, że najpierw pokaże nam krok podstawowy samby, którą Brazylijczycy tańczą na ulicach podczas karnawału. Opowiadała nam, że pierwotnie samba była nazwą zbiorową wielu form tańca, które kiedyś afrykańscy niewolnicy z Konga i Angoli przywieźli do swojej nowej ojczyzny. Obecnie samba to najbardziej znany taniec Brazylii. Daria włączyła utwór Gilberta Gila, który oczywiście znałam, tak samo jak krok podstawowy samby.

Trzeba było na zmianę robić krok do przodu i krok do tyłu i mały kroczek pomiędzy. Oczywiście całe ciało też się poruszało, przede wszystkim biodra. Nigdy się nie zastanawiałam, jak „działa" samba, po prostu już to umiałam, jak chodzenie i jedzenie.

I dlatego nie sprawiało mi żadnej trudności powtarzanie ruchów Darii, która stanęła plecami do grupy i nic nie wyjaśniając, rozpoczęła zajęcia. Pozostali próbowali ją naśladować. Fabiowi i Glorii przychodziło to równie łatwo jak mnie, ale dla innych najwidoczniej nie było to proste. Nawet Sally, która stała w pierwszym rzędzie, miała poważne trudności. Ciągle gubiła rytm, chociaż Daria wykonywała kroki bardzo powoli, prawie w zwolnionym tempie. W końcu Sally jęknęła, zatrzymała się i odwróciła. Stałam dosyć daleko z tyłu, ale nagle znalazła się tuż przy mnie.

— Ty masz to po prostu we krwi — stwierdziła z zazdrością w głosie. — Mogę trochę od ciebie podpatrzeć?

— Jasne — odpowiedziałam. Rozpierała mnie duma. Poruszałam się jak najwolniej, akcentując każdy ruch, podczas gdy Sally patrzyła na zmianę to na mnie, to na Darię.

Po chwili krok zaczął wychodzić jej troszkę lepiej, ale na koniec ćwiczenia aż otarła pot z czoła.

— Gdzie się nauczyłaś tak tańczyć? — zapytała mnie. Musiałam się zastanowić.

— Myślę, że po prostu naśladowałam innych — odparłam w końcu. — Mój papai kiedyś często ze mną tańczył. Mamy też brazylijską restaurację ze sceną. Grają tam zespoły i wielu Brazylijczyków przychodzi potańczyć.

— Tobie to dobrze — stwierdziła Sally.

— To prawda — odpowiedziałam i pomyślałam, JAK mam dobrze. I to dokładnie teraz. Niedawno pisałam mojemu młodszemu bratu, że nauczę go tańczyć sambę. A teraz dziewczyna z dziesiątej klasy przy-

142

glądała się moim ruchom. O czymś takim nie śmiałam nawet marzyć.

Kiedy pan Demmon rozpoczął drugą część zajęć i pokazał nam kilka kroków hiphopowych, Sally została przy mnie. Może samba sprawiała jej trudność, ale poza tym tańczyła fenomenalnie — pan Demmon zresztą też. Ćwiczyliśmy najpierw running man, a potem moonwalk Michaela Jacksona. Pierwszy styl wygląda tak, jakby się biegło w miejscu, a drugi jak ślizganie się po taśmie produkcyjnej. Jednak nie było to wcale takie proste. Krople potu wystąpiły mi na czoło — i tym razem Sally pomagała mnie. Wykonywała ruchy tak wolno, że mogłam się dokładnie przyjrzeć, a kiedy z aprobatą kiwnęła głową, myślałam, że ze szczęścia uniosę się nad ziemią.

Na koniec wykonaliśmy jeszcze kilka ćwiczeń rozciągających.

— Fajnie, że przyszłaś — powiedziała Gloria po zajęciach. Fabio gratulował mi, mówiąc, że byłam naprawdę dobra. Ale ja ledwie zwracałam na nich uwagę, bo byłam zupełnie zajęta Sally. Stała teraz ze starszymi kolegami, ale kiedy mijała nas, idąc w kierunku drzwi, stanęła przede mną i zmarszczyła brwi.

— Już cię gdzieś widziałam — powiedziała.

— Prawdopodobnie na podwórku szkolnym — zgadywałam.

Sally potrząsnęła głową. W tym momencie z jej kurtki dobiegły dźwięki hip-hopu. Wyciągnęła z kieszeni telefon komórkowy i powiedziała na odchodnym:

— No, to do środy. *Ciao*, Lola.

— *Ciao* — odpowiedziałam, wsłuchując się w dźwięk tego słowa. Jeszcze nigdy dotąd go nie użyłam. Ale brzmiało fajnie. Zwykłe „cześć" to przy nim jak język niemowląt.

Do domu wracałam, tańcząc sambę. W rytm nuciłam: „*ciao, ciao*" i myślałam: „Jeszcze dwa razy pójdę spać i znowu będą tańce!".

19.

LISTY, SKOKI I...

LEKKIE KŁUCIE

Na kolację mama usmażyła naleśniki, specjalnie po to, by mnie rozweselić. Jednak to już nie było potrzebne. Cały czas opowiadałam o tańcach. Mama wyglądała na uspokojoną, a tatę najwyraźniej rozpierała duma.

— A jak będzie z twoimi urodzinami? — dopytywała się mama, podczas gdy ja posypywałam naleśnik cukrem z cynamonem i zwijałam go w grubą kiełbasę.

Ojej! Zupełnie zapomniałam o urodzinach. Jeszcze tylko pięć razy pójdę spać i skończę jedenaście lat! Znowu do głowy przyszła mi dyskoteka dla dzieci, którą chciałam zorganizować. Kiedy jednak wspomniałam o niej tacie, tylko potrząsnął głową.

— Na to już za późno, Cocada. Na sobotę mamy całkowitą rezerwację, a w tej chwili potrzebujemy pieniędzy. Dyskoteka dla dzieci wiele nie przyniesie. Nie mogę sobie teraz pozwolić na zamknięcie restauracji w tym celu. — Położył rękę na brzuchu mamy i rzucił mi znaczące spojrzenie. — Wkrótce twój młodszy brat usiądzie przy tym stole i też będzie chciał jeść naleśniki, a mama na początku nie będzie pracować. Pieniądze trzeba skądś wziąć.

— Chciałam znaleźć pracę jako opiekunka do dzieci — wyrwało mi się. — Wtedy mogłabym zarabiać. Ale wy tego nie chcieliście. A teraz muszę zrezygnować ze swojej uroczystości tylko po to, aby znalazło się więcej pieniędzy. To nie w porządku, papai!

Papai napełniał sobie naleśnik sałatą, cebulą i smażonym mielonym mięsem. Mama zawsze robi takie ciasto, że można je jeść na słodko lub słono, a papai to raczej słony typ.

— Nie mówię, że musisz zrezygnować ze swojej uroczystości — uspokoił mnie. — Ale możesz przecież świętować w domu. Tak robi wiele innych dzieci.

„Inne dzieci mają też ogromne pokoje" — pomyślałam, ale nie odważyłam się tego powiedzieć głośno.

Mama miała na talerzu chleb pełnoziarnisty i sałatkę z kiszonej kapusty i właśnie wsuwała sobie do ust łyżeczkę pchlego nasienia* W ostatnich tygodniach znowu zmieniła nawyki żywieniowe, ponieważ cierpiała na zaparcia. Oprócz chleba pełnoziarnistego i surowych warzyw pomagały na to również te pchle

---

* Pchle nasienie — potoczna nazwa babki płesznik, wartościowej rośliny leczniczej.

nasiona. Ojej! Ja miałam wszy, a mama jadła pchły. Oczywiście to nie były prawdziwe pchły, ale te małe brązowe drobinki bardzo je przypominały i najwyraźniej smakowały dość paskudnie. Mama przy połykaniu wykrzywiła się i popiła je maślanką.

– Papai ma rację, Lolu – powiedziała, wycierając sobie maślankowe wąsy. – Wyprawimy urodziny u nas. Udekorujemy salon i będziecie mogli trochę potańczyć. Mam nadzieję, że nie będę zbyt wyczerpana.

Ja też miałam taką nadzieję, bo ostatnio mama ciągle się to zdarzało. Nie wolno jej było nosić nic ciężkiego, a mimo to często nie mogła złapać oddechu.

Postanowiłam zadowolić się urodzinami w domu i zniknęłam w swoim pokoju, by zaplanować uroczystość. Do głowy przyszło mi kilka nowych życzeń i miałam wielką nadzieję, że nie jest już na nie za późno, a poza tym chciałam sporządzić listę gości.

Na przedłużonej liście urodzinowej zapisane były już:

Telefon komórkowy!
Kolczyki
Papier listowy
Nowe meble do pokoju (o ile to możliwe)
Spodnie do tańca!
Czarny kostium ze stretchu!
Dwie podkoszulki (żółta i zielona)!

Książki (Pomocy, zmniejszyłem moją nauczycielkę/Krokodyl nad Srebrnym Jeziorem/Jak stałem się nieśmiertelny)
Film DVD z Michaelem Jacksonem

Oczywiście wiedziałam, że nie wszystkie życzenia mogą zostać spełnione, dlatego przy rzeczach do tańca i telefonie postawiłam wykrzykniki.

Gdybym dostała komórkę, mogłabym wysyłać Aleksowi SMS-y, bo on już od dawna ją miał — tak jak Sally.

Kiedy ponownie przypinałam kartkę na tablicy w kuchni, zauważyłam, że wisi tam już inna lista. Nosiła tytuł „Dla dzidziusia" i była dosyć długa.

Moja lista gości okazała się za to krótka i z pewnością nie wystarczyłaby, aby urządzić dyskotekę w „Perle Południa". Chciałam zaprosić Raszkę, Fryderykę, Sola, Anzelma, Glorię i Fabia. Przy jego imieniu postawiłam znak zapytania, ale potem go skreśliłam. Skoro Alex nie miał już nic przeciwko naszej przyjaźni, mogłam go zaprosić na urodziny — i opowiedzieć Aleksowi o kursie tańca. I tak skupiałam się tam na Sally. Myślałam o tym, jak podczas samby podpatrywała moje kroki, jak świetnie tańczyła hip-hop i jak bardzo ją podziwiałam. Najchętniej ją również zaprosiłabym na urodziny, ale za bardzo się wstydziłam.

Zamiast tego do listy dopisałam inne imię.

— Dziękuję — powiedziała Sayuri, kiedy następnego dnia wręczyłam jej na korytarzu zaproszenie na urodziny. Wszystkie zdążyłam wypisać wieczorem. Sayuri sprawiała wrażenie szczerze uradowanej.

— Chętnie przyjdę — oświadczyła i uśmiechnęła się nieśmiało. — Czy to znaczy, że przyjęłaś moje przeprosiny?

— Jasne — potwierdziłam. — Przykro mi, że tak głupio zachowałam się przez telefon. Czasami potrzebuję więcej czasu.

Sayuri kiwnęła głową ze zrozumieniem i ustąpiła drogi dziesiątoklasiście, który pędził obok nas po schodach.

— Ja tak samo — przyznała. — A poza tym miałaś powód.

— A o czym Kronberg z wami wtedy rozmawiała? — zapytałam, zanim weszłyśmy do klasy.

— Mówiła, że wszy nie są powodem, aby kogoś wykluczać, że to może się zdarzyć w najlepszych rodzinach i że na wszelki wypadek nasi rodzice powinni nas obejrzeć. — Sayuri przewróciła oczami. — W naszym przypadku zrobiła to już pomoc domowa Dalili. W zasadzie przyszła posprzątać, ale mama Dalili poprosiła ją, by obejrzała nasze głowy, bo Stanley nie chciał kontynuować pracy. Całe to przyjęcie od początku było beznadziejne. Więc nic nie przegapiłaś.

— W rzeczy samej, nic — odpowiedziałam.

149

Niepojęte, że mama Dalili poprosiła o coś takiego pomoc domową. Prawdopodobnie jej rozkazała. Znowu mi się przypomniało, że uznała mojego tatę za naszego służącego, i się wzdrygnęłam. Natomiast naprawdę ucieszyło mnie to, że Sayuri zapytała, czy nie chciałabym obok niej usiąść. Bardzo tego chciałam, a sąsiadka Sayuri, Deborah, nie miała nic przeciwko. Ona usiadła na miejscu Anny Lizy, a ta przesunęła się do swojej idolki Dalili. Ulżyło mi, że będę teraz na nie patrzeć z daleka. Dzisiaj nikt też nie wydawał z siebie małpich odgłosów, a Gus nawet mnie przeprosił, chociaż wczoraj śmiał się najmniej ze wszystkich.

Na lekcji niemieckiego pan Demmon mrugnął do mnie, a kiedy opowiedziałam Sayuri, że jako jedyna piątoklasistka uczestniczyłam w zajęciach grupy tanecznej, zrobiła wielkie oczy.

— Bombowo! — stwierdziła.

A jeszcze bardziej bombowe było to, że na dużej przerwie Sally się ze mną przywitała. W naszej szkole jest kafeteria, w której na dużej przerwie można coś zjeść. Raz w tygodniu dostawaliśmy żetony, żebyśmy nie musieli płacić gotówką. Siedziałam przy jednym stole z Sayuri, Raszką, Fryderyką i kilkoma innymi dziewczynami z ich klasy. Kupiliśmy sobie hot dogi, a Raszka oczywiście chciała się dowiedzieć wszystkiego o grupie tanecznej. Dokładnie w chwili gdy opowiadałam o podstawowych krokach samby, obok naszego stołu przechodziła Sally z jakimś chłopakiem. Kiedy mnie zobaczyła, zatrzymała się, uśmiechnęła i powiedziała:

— *Hi*, Lola.

Odpowiedziałam „*hi*" i Sally poszła dalej.

Rozpierała mnie duma — szczególnie, że kątem oka widziałam, jak Anna Liza i Dalila przy sąsiednim stoliku nas obserwują. A niech się gapią — głupie krowy!

Po posiłku dałam zaproszenia Raszce, Fryderyce, Solowi, Anzelmowi. Urodziny Fryderyki wypadały w tym roku w czasie ferii, dlatego nie organizowała imprezy. W zeszłym roku świętowałyśmy razem. Na wspomnienie tego, że Alex był wtedy wśród gości, westchnęłam.

Gloria i Fabio pojechali z klasą na wycieczkę do Lubeki i dlatego dopiero w środę na tańcach mogłam wręczyć im zaproszenia.

Gloria pożyczyła mi legginsy i koszulkę. Obydwie rzeczy były dla mnie wprawdzie trochę za duże, ale i tak czułam się w nich o wiele lepiej niż w swoich dżinsach czy stroju na WF.

Po rozgrzewce ćwiczyliśmy skoki w różnych wariantach. Pan Demmon rozłożył na podłodze maty, przez które mieliśmy skakać, najpierw prawą nogą, lewą zostawiając wyprostowaną w powietrzu. Kilkorgu starszym udało się przeskoczyć dwie maty naraz, a Sally wyglądała przy tym, jakby leciała. Nie mogłam oderwać od niej wzroku. Lubiłam, jak nosiła włosy związane wysoko w koński ogon, w którym jedno pasemko zaplecione było w warkocz. Podobał mi się jej delikatny makijaż, tylko tusz do rzęs i lekka różowa szminka, jedwabiście pokrywająca usta. Nie przypominała Barbie jak Anna Liza, lecz była niewiarygodnie piękna. Nawet jej skóra lśniła jedwabiście. No i miała prawdziwe piersi. Czy spotykała się z jakimś chłopakiem? Na pewno! Wyobrażałam sobie, jak opowiadam jej o Aleksie i jak ona reaguje na to, że mam chłopaka w Paryżu.

Mama Fabia trenowała z nami afrykańskie skoki, które od początku wychodziły mi dość dobrze. Wybijaliśmy się w górę, wciskaliśmy pięty w pośladki i rozkładaliśmy przy tym ręce niczym Jezus na krzyżu. Do tego mama Fabia łączyła afrykański rytm, który tętnił w całym moim ciele. Uważam, że to magiczne, czuć w sobie muzykę i doświadczać tego, jaką daje energię do życia. Podobało mi się bardzo, że pan Demmon wykonywał wszystkie ćwiczenia zalecane przez Darię, dokładnie tak samo jak ona to robiła podczas jego ćwiczeń. Dziadek mówi, że na naukę człowiek nigdy nie jest za stary, ale niektórzy dorośli najwidoczniej tego nie pojmują i zachowują się, jakby pozjadali wszystkie rozumy. Tak jak mój dawny nauczyciel matmy pan Koppenrat i trochę jak pani Kronberg. Kiedy sobie wyobraziłam ich oboje podczas afrykańskich skoków, nie mogłam powstrzymać się od głośnego śmiechu. Za to pan Demmon był *cool*. Sally najwyraźniej też go lubiła. Za każdym razem, kiedy ją chwalił, czerwieniła się, a przecież naprawdę miała największy talent w naszej grupie. Pan Demmon właściwie wszystkich traktował tak samo, Daria również. Jeśli ktoś czegoś nie umiał lub popełnił jakiś błąd, dodawali mu odwagi, aby próbował dalej, i chwalili go, nawet wtedy gdy nie wszystko wyszło perfekcyjnie.

Na koniec zajęć zatańczyliśmy sambę de roda. To taniec w okręgu. Tym razem nie ograniczaliśmy się tylko kroku podstawowego, lecz robiliśmy, co nam przychodziło do głowy, dokładnie tak jak kiedyś na castingu do *Króla Lwa*. Fabio wybrał capoeirę, Gloria — forró, taniec z północno--wschodniej Brazylii, a Sally wykonywała okrężne ruchy biodrami, schodząc kolanami coraz niżej, aż jej pupa znalazła się prawie na podłodze, a potem krążyła z powrotem do góry. Kilku starszych chłopców zagwizdało przez zęby, bo to wyglądało naprawdę bardzo, ale to bardzo sexy. Każdy, kto był w okręgu, wybierał kogoś z grupy — a Sally wybrała mnie!

Tańczyłam ruchy Oxum i widziałam, że mama Fabia się do mnie uśmiecha.

– *Beleza* – powiedziała, kiedy skończyłam. To po portugalsku „piękno", ale mówi się tak też wtedy, kiedy coś cię zachwyca.

Ja wybrałam pana Demmona, który tańczył moonwalk. Może nie wychodziło mu to aż tak rewelacyjnie jak Michaelowi Jacksonowi, ale widać było, że to zawodowy tancerz. Naprawdę wyglądał tak, jakby ślizgał się po taśmie produkcyjnej. *Cool!*

Wieczorem chciałam porozmawiać z mamą i tatą o urodzinach, ale kiedy wróciłam do domu, mama leżała na kanapie i wyglądała na dość przygnębioną.

Papai siedział obok niej i głaskał ją po ramieniu.

– Nie martw się, Vicky – mówił. – To przejdzie. A jeśli nie, pójdziemy jutro do Franza.

– A co się dzieje? – zapytałam przestraszona.

– Nic – odpowiedziała mama. – Tylko ból głowy i lekkie kłucie w brzuchu. Najprawdopodobniej się nadwyrężyłam. W szpitalu było dzisiaj mnóstwo nagłych przypadków i nie miałam ani chwili przerwy. Muszę trochę zwolnić obroty, to wszystko.

Papai ugotował ryż z fasolą dla mnie i przygotował świeżą kiszoną kapustę dla mamy. Potem obiecał, że w piątek pomoże mi przy przygotowaniach urodzinowych.

– Jutro wszystko omówimy – powiedział.

Spoglądałam w stronę mamy, która była zupełnie blada, i tak się martwiłam, że w nocy znowu nie mogłam zasnąć. Dlatego jako Lala Lu, tańcząc, usypiałam małego bobaska. Kołysałam go w ramionach do ruchów Oxum, a chłopczyk do rytmu ssał złoty smoczek o smaku miodu, który moja asystentka Lisbeth wyciągnęła z automatu do smoczków. Kiedy bobas usnął, ja wciąż jeszcze myślałam o moim bracie w brzuchu mamy.

WIADOMO, ŻE GDY POŻAR...

Gestoza, toksoplazmoza, listerioza brzmią jak magiczne słowa, ale niestety absolutnie nimi nie są. Odkryłam to następnego dnia, kiedy na nocnym stoliku mamy znalazłam książkę o ciąży. Papai z dziadkiem robili po południu zakupy do restauracji, mama do godziny osiemnastej pracowała w szpitalu. A ja właściwie też pracowałam, tym razem nad zadaniami z matematyki. Właśnie zajmowaliśmy się miarami przestrzeni i objętości i na następną lekcję mieliśmy wymyślić zadanie tekstowe. Gryząc długopis, ciągle myślałam o bólu głowy mamy, który rano się nasilił. Postanowiłam zetrzeć kurze, aby sprawić jej radość, i wtedy znalazłam książkę o ciąży. Opisane w niej było nie tylko to, jak się rozwija dziecko, ale także, co się może wydarzyć. Gestoza to groźne zatrucie ciążowe, które rozpoznaje się czasami po bólach głowy. Toksoplazmoza to infekcja wywołana przez pasożyty znajdujące się w surowym mięsie lub odchodach zwierzęcych, przede wszystkim kocich. Listerioza to rzadka infekcja, która dla ciąży może mieć katastrofalne skutki. Dlatego też ciężarne nie powinny jeść sera z surowego mleka.

W książce nie zostało wyjaśnione, na czym polega infekcja, ale to, co przeczytałam, wystarczyło, żeby mnie przerazić. Nie miałam pojęcia, co mogło zaatakować mamę i mojego małego brata! Myślałam o bólu głowy, o kuwecie Śnieżki i o serze w naszej lodówce. Dla bezpieczeństwa mamy namalowałam ogromną trupią czaszkę i nakleiłam ją na pudełku na ser. Następnie posprzątałam kuwetę i postawiłam ją — wraz z chorągiewką z trupią czaszką, którą wyciągnęłam ze skrzyni z rupieciami — w moim pokoju. Na koniec postanowiłam zaskoczyć mamę, gdy wróci do domu, kąpielą Kleopatry. Przepis na nią również znalazłam w książce. Podany był jako wskazówka dla ojców, ale papai w ostatnim czasie miał mnóstwo pracy.

Do kąpieli Kleopatry trzeba wymieszać dwa litry mleka z trzema filiżankami soli morskiej i jedną fili-

żanką miodu i wlać wszystko do wody o temperaturze trzydziestu siedmiu stopni. Przy blasku świec i klasycznej muzyce — to musi być wielka przyjemność.

I dokładnie to, czego mama potrzebowała. Na szczęście mieliśmy w domu wszystkie składniki. Mniej więcej za piętnaście siódma mama powinna wrócić do domu. O wpół do szóstej zabrałam się do pracy. Niestety miód nie chciał się dobrze wymieszać z mlekiem. Kleił się na dnie garnka, więc postanowiłam rozgrzać wszystko na kuchence. Mama zawsze tak robiła, kiedy przygotowywała mi gorące mleko z miodem. Tym razem ja zamierzałam się nią zająć. Tak długo mieszałam zawartość garnka, aż miód na dnie się rozpuścił i połączył z mlekiem. Zanim wszystko zaczęło się gotować, zdjęłam garnek z ognia. Czułam się przy tym prawie jak mama. Wsypałam sól morską, wymieszałam wszystko jeszcze raz i pomaszerowałam z garnkiem do łazienki. Było już pięć po szóstej. Puściłam wodę do wanny, wlałam mieszankę mleka, miodu i soli, zaciągnęłam do łazienki swój odtwarzacz CD i włożyłam do środka płytę z brazylijską muzyką gitarową. W kuchni znalazłam tylko kilka nadpalonych świeczek, splądrowałam więc szybko skarbonkę i popędziłam po kilka świec do drogerii, która znajdowała się tuż za rogiem. Było dopiero dziesięć po szóstej, a wanna nie zapełniła się nawet w jednej czwartej. Spokojnie zdążę.

W drogerii mieli nawet świece o zapachu miodu i wanilii, które kosztowały aż dwa i pół euro za sztukę, ale mama była ich warta. Przy kasie na szczęście nie było kolejki i po trzech minutach już wyszłam ze sklepu. Naprzeciwko drogerii znajdował się kanał Ise, który przepływał również obok szkoły podstawowej. Na ławkach przy łące w ciągu dnia siadywały starsze panie, a wieczorami zbierali się miejscy włóczędzy i pili piwo. Ale teraz zobaczyłam tam kogoś innego. Dziewczynę z blond włosami związanymi w koński ogon. Trzymała w ręce lody. A przed nią stał dziecięcy wózek. Nie wierzyłam własnym oczom.

– Sally?! – zawołałam.

Dziewczyna obejrzała się i uśmiechnęła. To naprawdę była ona.

– Co ty tu robisz? – zapytała, kiedy pobiegłam do niej przez ulicę.

– Mieszkam obok – odpowiedziałam, zaglądając do wózka. – A ty?

– Opiekuję się dzieckiem – wyjaśniła Sally. Wskazała dzidziusia siedzącego w wózku i ssącego niebieski smoczek z zajączkiem. Był dużo większy niż Karolek z księgarni babci i przynajmniej trzy razy słodszy. Na głowie kręciły mu się ciemnobrązowe kędziorki, a jego oczy były tak czarne, że nie dawało się dostrzec źrenic. Jego skóra miała kolor kawy z mlekiem.

– To Anton – powiedziała Sally. – Mieszka z mamą w Mieście Spichlerzy, ale w czwartki chodzi na gimnastykę w Kaifu, a ponieważ jego mamie wypadło dzisiaj ważne spotkanie, ja z nim przyszłam.

Kaifu to centrum fitness, w którym oferowane są przeróżne zajęcia dla dzieci i dorosłych.

Anton zaczął wierzgać, potem wypluł smoczek i popatrzył na mnie. Byłam skonsternowana.

— W jakim jest wieku? — zapytałam cicho.

— Osiem miesięcy — odpowiedziała Sally. — Słodki, prawda?

— Tak — szepnęłam. — Mogę... mogę go wziąć na kolana?

— Jasne — zgodziła się Sally. Odpięła pas, wyjęła dziecko z wózka i posadziła mi je na kolanach.

— Ba, bwa — gaworzył Anton. Potem chwycił mój wisiorek w kształcie lwa i zaczął go ciągnąć. Miał zadziwiającą siłę.

— Hej — powiedziałam i się zaśmiałam. — Nie zrywaj!

— Mmbwa — odparł Anton po swojemu i drugą ręką pacnął mnie w pierś. Brykał mi na kolanach raz w górę, raz w dół. Jego ciało było ciepłe i miękkie i pachniało przecudownie: kremem, słońcem i dzidziusiem.

Wyjęłam wisiorek z jego palców, ostrożnie złapałam Antona za nadgarstki i pohuśtałam lekko na kolanach. Anton zaczął gaworzyć.

— Widać, że cię polubił — stwierdziła Sally. Popatrzyła na mnie z boku, zmarszczyła brwi i uśmiechnęła się szeroko.

— Teraz wiem, gdzie cię już widziałam! — zawołała. — To ty jesteś supernianią?

— Ee... — Czułam, że się czerwienię. — Skąd wiesz?

— Widziałam twoje ogłoszenie — powiedziała. — Leżało u mamy Antona w przedpokoju. Mówiła, że znalazła je za wycieraczką samochodu i uznała je za bardzo śmieszne.

Przełknęłam ślinę. „Anton na pokładzie". Taki napis widniał na samochodzie z fotelikiem dziecięcym, na którego szybie umieściłam ogłoszenie, wracając od Aleksa. Bardzo śmieszne? Nagle zrobiło mi się głupio. Dziesięcio-, no, prawie jedenastoletnia dziewczynka podaje się za supernianię i obiecuje malutkim chłopczykom wspaniale spędzony czas. A w rzeczywistości nie potrafiłam nawet wyjść z wózkiem na spacer, żeby nie trzasnąć nim o drzewo. Dlaczego dałam się namówić Grazielli na taką głupotę? Przestałam ruszać kolanami, a Anton wierzgnął znacząco.

– Ja, ja, ja! – wołał.

Huśtałam go więc dalej. Znowu zaczął gaworzyć, a Sally zapytała, czy ktoś zareagował na to ogłoszenie.

Wzruszyłam ramionami.

– Właściwie nie – wymamrotałam. – Myślę, że jestem na to jeszcze za młoda.

– A dlaczego chcesz się opiekować akurat małymi chłopcami? – Sally znowu się zaśmiała, prawdopodobnie przypomniała jej się treść mojego ogłoszenia „Doświadczona superniania zapewni waszym malutkim synkom znakomicie spędzony czas". Wyobraziłam sobie, jak Sally i mama Antoniego śmiały się z tego do rozpuku, i poczułam, że jestem kompletną idiotką.

– Wkrótce urodzi mi się młodszy brat – odparłam. – I chciałam się na to przygotować. Mam jeszcze młodszą ciotkę, ale ona skończyła już trzy lata, a poza tym dziewczynki są inne niż chłopcy.

– Trzyletnia ciotka? – Sally roześmiała się głośno. – Zabawne. Jak to możliwe?

Opowiedziałam jej, że babcia urodziła moją mamę, mając siedemnaście lat, a potem jeszcze raz zaszła w ciążę w wieku czterdziestu pięciu lat.

– Kiedy ciotka Lisbeth się urodziła, ja miałam siedem lat – obliczyłam. – A ty masz rodzeństwo?

Sally potrząsnęła głową.

— Moja mama mówi, że jedno stworzenie tego rodzaju jej wystarczy.

Wzdrygnęłam się, bo głos Sally zabrzmiał nagle ostro.

Anton dostał czkawki. Przestałam go huśtać. Sally wyjęła z koszyka pod wózkiem butelkę ze smoczkiem.

— Trzymaj — powiedziała. — Daj mu coś do picia, to pomaga.

Przystawiłam butelkę do buzi Antona, a on natychmiast zaczął chciwie ssać. Przy tym przyglądał mi się uważnie czarnymi oczami, aż w sercu zrobiło mi się gorąco.

— Czy mama Antona ma ciemną skórę? — zapytałam.

Sally potrząsnęła głową.

— Tata — odrzekła. — Ale on się ulotnił. Mama wychowuje Antona sama. Kiedy byłam mała, ona się mną opiekowała, a teraz ja opiekuję się Antonem. — Uśmiechnęła się do mnie. Jej blond włosy lśniły niczym jedwab. — Jeśli masz ochotę, zabiorę cię kiedyś ze sobą.

Najchętniej z zachwytu rzuciłabym jej się na szyję. Dobry znak. Tak przecież pomyślałam, gdy na samochodzie zobaczyłam naklejkę „Anton na pokładzie". Przypomniało mi się, jak kiedyś mój balonik z prośbą o najlepszą przyjaciółkę zaplątał się na maszcie statku „Rickmer Rickmers". Znalazła go Raszka i stała się moją przyjaciółką. „To naprawdę cud – powiedziała wtedy mama – jakie drogi obiera czasami balonik". Z ogłoszeniami nie było inaczej. Już prawie porzuciłam swoje marzenie, a tu Sally sprawiła, że znów znalazło się w zasięgu ręki. Właśnie miałam zapytać, kiedy znów będzie opiekować się Antonem, gdy nagle rozbrzmiało głośne wycie syren. Wóz strażacki wjechał w Osterstrasse. Widziałam go już z daleka. Na ulicy samochody zjeżdżały na bok, a dźwięk „eoeoeo" z sekundy na sekundę potężniał, aż wóz znalazł się na naszej wysokości. Skręcił w naszą ulicę, a Anton się wzdrygnął. Wypuścił butelkę i zaczął płakać.

– Już dobrze – uspokajała go Sally, głaszcząc po głowie, a ja przytuliłam małego do siebie.

Sally wsadziła Antonowi smoczek w usta i zaczęła śpiewać piosenkę strażaków, którą kiedyś nie mogła się nasycić ciotka Lisbeth.

Ogień, ogień! Pali się!
Straż pożarna mknie.
Na bok wszyscy! Odsuń się!
My zdążymy, pożar – NIEEE!

– Ja, ja – gaworzył Anton i wypluł smoczek.
– *Yeah, yeah* – zaintonowałyśmy jednocześnie.
Wiadomo, że gdy pożar,
Zjawia się bojooooowa
Straż ognioooooowa!

Anton klasnął, a my wybuchłyśmy śmiechem.
Syrena strażacka ucichła i Sally spojrzała na zegarek.

— Do diabła, musimy już iść — powiedziała. — Mama Antona czeka od za piętnaście siódma przy kościele Zbawiciela.

Od za piętnaście siódma? Moje serce przestało bić.

— A która jest teraz? — wydusiłam z siebie.

— Prawie siódma — odparła Sally.

O Boże! O. MÓJ. BOŻE!

Chwyciłam torebkę ze świeczkami i wystrzeliłam jak strzała. Pędziłam tak szybko jak wcześniej straż pożarna — której wóz stał już przed naszym domem. Ale nie dlatego, że się paliło.

21.

ZŁE I DOBRE
WIADOMOŚCI

Weź dwa litry mleka, szklankę miodu, trzy filiżanki soli morskiej i przez dwadzieścia minut lej wodę do wanny, a otrzymasz kąpiel Kleopatry.

Dolicz dodatkowe trzydzieści pięć minut lejącej się wody – efektem będzie powódź. A jeśli dodasz do tego mieszkanie w starym budownictwie z nieszczelnymi podłogami, otrzymasz potop u sąsiadów piętro niżej.

Takie równanie mogłabym wymyślić, gdybym zajęła się pracą domową z matematyki, zamiast próbować zaskoczyć mamę kąpielą Kleopatry. Ale zostawiłam odrabianie lekcji na później – a niespodziankę zgotowałam naszej sąsiadce, pani Handmeister, zapewniając jej oberwanie chmury w sypialni.

Oczywiście pani Handmeister szybko się zorientowała, skąd pochodzi deszcz, bo jej sypialnia znajduje się dokładnie pod naszą łazienką. I najpierw bezskutecznie dzwoniła do nas, a potem wezwała straż pożarną.

Tego wszystkiego dowiedziałam się, kiedy z wywieszonym językiem dobiegłam do domu. Przy otwartym oknie salonu stała drabina strażacka. W naszym mieszkaniu był policjant plus pięciu strażaków, którzy za pomocą ogromnych gąbek i wiader próbowali zebrać wodę z podłogi.

Minutę później nadszedł papai.

Trzy minuty później wróciła mama.

Sześćdziesiąt minut później rozpętała się burza.

Wcześniej nie było czasu na wyrzuty. Woda z łazienki dostała się do wszystkich pokoi. Ale kiedy podłogi troszkę wyschły, policjant spisał dane taty, sporządził protokół z zajścia i wspólnie ze strażakami się pożegnał, papai zaczął grzmieć.

Był wściekły przynajmniej dwa razy bardziej niż wtedy, kiedy przez nieuwagę zamknęłam go w łazience i przez sześć godzin musiał leżeć w wannie. Teraz wannę oblepiały resztki mleka, miodu i soli, a wszystkie nasze narzuty, ręczniki i prześcieradła były kompletnie mokre, bo próbowaliśmy pomóc strażakom. W mgnieniu oka rzuciliśmy na podłogę wszystko, w co mogła wsiąknąć woda.

Babcia wywiesiła mokre rzeczy w ogródku Vivian Balibar, która zostawiła nam klucz do swojego mieszkania — całe szczęście, bo my nie mieliśmy ogrodu. Mieliśmy za to wściekłą sąsiadkę, którą zajął się dziadek. Tego, co on mówił, nie słyszeliśmy, ale jazgot pani Handmeister wyśmienicie przenikał przez podłogę do sypialni.

— Jaką wiadomość chcecie usłyszeć najpierw? — zapytał dziadek, kiedy wrócił na górę, trzymając ciotkę Lisbeth za rękę. — Dobrą czy złą?

— Dobrą! — krzyknęłam.

— Złą! — zawołali jednocześnie mama i tata.

Papai w przemoczonych do suchej nitki dżinsach kucał na podłodze, a mama leżała w łóżku, które chwilę wcześniej, kiedy w sypialni było przynajmniej trzy centymetry wody, było tratwą pośród oceanu. Mama jako jedyna nie pomagała w walce z powodzią, bo papai zabronił jej ruszyć chociażby palcem.

— Zła wiadomość — zaczął dziadek — jest taka, że woda całkiem przesiąkła przez sufit mieszkania pani Handmeister, a jej żyrandol z chińskiej porcelany runął na podłogę.

— Bam! — Ciotka Lisbeth uzupełniła jego relację. — Tylu potłuczonych kawałków nigdy nie widziałam. Są wszę-dzie! — Swoje słowa podkreśliła zamaszystym ruchem rąk.

Papai z trudem łapał powietrze. Mama cicho jęknęła, a ja najchętniej zapadłabym się pod ziemię, żeby nie słuchać, co nabroiłam.

Zła wiadomość miała jednak ciąg dalszy.

— Woda zniszczyła ponadto pochodzący z Maroka dywan berberyjski i sprzęt grający pani Handmeister — kontynuował dziadek. — Szacuję, że razem z interwencją straży pożarnej to będzie koszt kilku tysięcy euro. — Po tych słowach dziadek spojrzał na mnie i uniósł brwi.

Mamie i tacie najwidoczniej odjęło mowę. Drgnienie kącika ust dziadka dało mi odwagę, aby się odezwać.

— A ta dobra wiadomość? — pisnęłam.

Usta dziadka wykrzywiły się w lekkim uśmiechu.

— Dobra wiadomość jest taka, że w ubiegłym roku wykupiłem dla nas polisę ubezpieczeniową od odpowiedzialności cywilnej i ubezpieczenie wyposażenia domu, które obejmuje również szkody spowodowane przez wodę. Właśnie zadzwoniłem do ubezpieczyciela i upewniłem się, że pokryją koszty. — Dziadek podszedł do mnie i poklepał mnie po plecach. — Przecież zawsze mówię, że nawet w najgorszym trzeba widzieć coś dobrego.

— Zgadza się! — zawołałam i pełna nadziei popatrzyłam na rodziców, którzy z ulgą wypuścili powietrze.

Ale potem papai popatrzył na pudło z płytami, które wzięły niezamierzoną kąpiel, podobnie jak inne rzeczy leżące na podłodze: buty w przedpokoju, kosz z czasopismami mamy, maskotka Śnieżki, nieuprane skarpety taty, pudło z rzeczami dla dzidziusia po ciotce Lisbeth, które wybrała babcia, podłoga superekspresowego statku kosmicznego, zeszyt do matematyki z nierozwiązanym zadaniem i jeszcze kilka innych rzeczy.

— Widzę tutaj małą dziewczynkę, której trzeba by porządnie zmyć głowę — pomstował papai i nie miał na myśli mojej ciotki, która właśnie wyłowiła myszkę Śnieżki.

— Teraz jest to szczur wodny — stwierdziła, huśtając za ogon ociekający przedmiot.

— O czym ty myślałaś, wychodząc z domu? — zapytała mama i usiadła na łóżku.

— O tobie — wyszeptałam. — I o moim malutkim bracie. I o tacie. Chciałam zrobić coś dobrego. A potem spotkałam Sally i zupełnie zapomniałam o czasie.

Wtedy papai wstał i mocno mnie przytulił. A potem znowu zabraliśmy się do osuszania mieszkania.

Babcia przyniosła nam z góry suche kołdry i o północy papai wysłał mnie do łóżka. A kiedy w piątek wróciłam ze szkoły, mama znowu leżała. Rano była u Franza i podobnie jak dziadek przyniosła jedną dobrą i jedną złą wiadomość. Teraz już wiedziałam, dlaczego w takim przypadku trzeba żądać najpierw tej drugiej. Dobre wieści przekazane jako pierwsze zostają popsute przez te złe, podczas gdy odwrotna kolejność sprawia, że zła wiadomość wydaje się już tylko w połowie tak okropna jak w pierwszej chwili.

W przypadku mamy złą wiadomością było to, że dostała przedwczesnych skurczów — a one — jeśli ma się pecha — mogą prowadzić do przedwczesnego porodu.

— Ale na szczęście — dodała mama — skurcze są bardzo słabe. Franz dała mi zwolnienie lekarskie na następne tygodnie. Mam się oszczędzać i dużo leżeć, a wszystko będzie dobrze.

Mama się uśmiechała, ale ja nie czułam się dobrze.

— Czy to moja wina? — zapytałam tatę, kiedy po południu zdejmowaliśmy ze sznurka kołdry i ręczniki. — Czy to przeze mnie mama dostała przedwczesnych skurczów?

Papai uszczypnął mnie w nos.

— Nie zamartwiaj się, Cocada. To nie twoja wina. Przecież znasz mamę. Pewnie w szpitalu bez przerwy zajmowała się pacjentami. Teraz przez dobrą chwilę sama musi być pacjentką. — Twarz taty spoważniała.

— I wolałbym, abyś opiekę nad mamą pozostawiła dorosłym. Żadnych dalszych niespodzianek! Skoncentruj się lepiej na swoich sprawach, dobrze?

— W porządku — wymamrotałam i pomyślałam, że moją sprawą były teraz przede wszystkim urodziny. Właściwie papai też miał się nimi zająć. Dzisiaj mieliśmy wspólnie planować ich przebieg, ale teraz mogłam o tym zapomnieć. W szkole zdążyłam już poinformować przyjaciół, że impreza się nie odbędzie.

22.

Nie ma skoków urodzinowych, ale są dwie niespodzianki

W sobotę skończyłam jedenaście lat, a taki dzień w naszej rodzinie zaczyna się zawsze od skoków urodzinowych. Jubilat staje na krześle i stamtąd skacze do plastikowej wanienki z zimną wodą tyle razy, ile lat kończy. Im więcej wody rozleje się podczas skoków, tym więcej szczęścia będzie miał w nowym roku życia. Zawsze cieszę się na to jak szalona, bo to nie tylko dobra wróżba, ale przede wszystkim rodzinna tradycja, odkąd tylko sięgam pamięcią. Zabawę wymyślił przed stu laty dziadek mojego dziadka i od tego czasu nie było urodzin bez skoków urodzinowych.

Do dziś.

Po tym, co nabroiłam w czwartek, nie napełniłabym wodą nawet miniaturowej wanienki dla lalek.

Wręczanie prezentów odbyło się w sypialni, bo mama została w łóżku, ale nie było strasznie dużo do rozpakowania. Ciotka Lisbeth podarowała mi obrazek z olbrzymią wszą w płetwach, od babci dostałam trzy książki, a od mamy DVD Michaela Jacksona i kupon na zakup stroju do tańca, który mama właściwie sama miała kupić w piątek. Papai podarował mi nowe buty, bo wszystkie moje były jeszcze mokre. Vovó i sześć brazylijskich ciotek przysłało mi kartki. Piąta ciotka — Magdalena — zadzwoniła, żeby osobiście złożyć mi życzenia, ale też poinformować, że ona wczoraj również świętowała urodziny. Na świat przyszła jej malutka córeczka Papoula. Ta niespodzianka była prawie tak piękna jak prezent i najchętniej natychmiast poleciałabym do Brazylii.

Najcudowniejszy podarunek otrzymałam od dziadka: jego stary telefon komórkowy z kartą za trzydzieści euro.

Mama i papai nie wyglądali na zachwyconych, widziałam to po ich minach. Ale dziadek mrugnął do mnie i wyraził nadzieję, że Alex także ucieszy się z tego prezentu, bo teraz będę mogła wysyłać mu SMS-y.

Alex!

Na telefon od niego czekałam cały poranek, ale jak dotąd nie zadzwonił, a jego komórka była wyłączona. Moi przyjaciele też się nie odezwali. Za to z życzeniami zadzwonili Jeff i Penelopa. Jeff spytał, gdzie będę wieczorem, więc mu odpowiedziałam, że w domu.

O czternastej pojawiła się nagle Raszka. Papai chciał właśnie jechać z dziadkiem do pracy, a wcześniej planował zanieść mamę na górę do babci, żeby tam mogła się położyć na kanapie. Zabronił jej nawet chodzenia po schodach, chociaż mama prosiła, żeby nie przesadzał.

— Wszystkiego najlepszego z okazji urodzin — powiedziała Raszka, gdy weszła do sypialni. Ubrana była w ciemnoczerwoną spódnicę z zamszu i czarny T-shirt z trupią czaszką, a w ręce trzymała prezent dla mnie zawinięty w błyszczący czerwony papier. Kiedy go rozpakowałam, zobaczyłam maskę na oczy.

Zmarszczyłam brwi.

— A co mam z tym zrobić? — zapytałam.

— Włożyć — podsunęła Raszka i się uśmiechnęła.

— Ale najpierw się ubierz. Najlepiej w coś eleganckiego.

— A potem?

Spojrzałam na mamę, która tylko wzruszyła ramionami, potem na tatę, który wykrzywił się w szelmowskim uśmiechu. Właściwie był to pierwszy prawdziwy uśmiech od kilku dni.

— Daj się zaskoczyć — powiedział.

Na dworze było dość ciepło, choć padał deszcz. Czułam krople na skórze głowy i rąk. Nic nie widziałam, bo włożyłam maskę od Raszki. Wybrałam żółtą letnią sukienkę, którą miałam na sobie również na ślubie rodziców w Brazylii, do tego kurtkę dżinsową i nowe buty. Raszka mocno trzymała mnie pod ramię, żebym się nie potknęła. Dziwne uczucie — iść po ulicy jak niewidoma. Dźwięki, które zwykle do mnie nie docierały, wydały się nagle bardzo głośne: mijające nas samochody, głosy przechodniów, szczekanie psów, dzwonki rowerzystów, nawet wiatr w koronach drzew. Raszka sprowadziła mnie ze schodów. Powietrze stało się chłodniejsze, szumiało, usłyszałam zapowiedź nadjeżdżającego metra. Mocno przytulona do Raszki wsiadłam i uczepiłam się poręczy.

— Dokąd jedziemy? — pytałam co pięć sekund, ale Raszka odpowiadała tylko:

— Cierpliwości, cierpliwości!

Wreszcie wysiadłyśmy i Raszka zakomenderowała:

— Idziemy!

Potem coś zawarczało, klapnęło i moja przyjaciółka poprowadziła mnie kilka schodów w górę.

Powietrze znów stało się cieplejsze, pachniało czymś słodkim i słonym. Pod powiekami migotały mi plamy światła. Do moich uszu dotarły wstrzymywany chichot i szept, a swędzenie głowy doprowadzało mnie do obłędu.

— Do przodu — dyrygowała Raszka. — Jeszcze jeden krok i jeszcze jeden... I jeszcze raz do góry.

Podniosłam nogę i natknęłam się na coś drewnianego.

— Wyżej — prosiła Raszka. — Noga wyżej. Tak dobrze.

Stanęłam na jakiejś desce... lub drewnianej platformie?

— Nie chwiej się — nakazała Raszka. — Trzymaj się mocno mojej ręki. A teraz... zdejmij maskę. Raz, dwa, trzy...

Rozbrzmiało dzikie dudnienie bębnów. Zerwałam maskę z głowy. Stałam na krześle. A otaczali mnie... moi przyjaciele.

Fabio i Gloria z bębnami i dzwonkami.

Sayuri i Gus z mojej klasy.

Raszka, Fryderyka, Sol i Anzelm z równoległej klasy.

Zoe, dziewczynka, którą poznałam na castingu do *Króla Lwa*.

Sila, Riekje i Całuśnik z mojej starej koziej szkoły.

— NIESPODZIANKA! — krzyknęli, klaszcząc, bębniąc i dzwoniąc.

Omal się nie rozbeczałam, tak szalenie się ucieszyłam. Znajdowaliśmy się w studiu tańca. Lustra zostały zasłonięte białymi jedwabnymi zasłonami. Zobaczyłam bufet z ciastem i brazylijskimi przekąskami, kruszon owocowy i girlandy, i dmuchane węże — oraz wielką napełnioną wodą wannę. Byłam tak podekscytowana, że omal nie spadłam z krzesła.

— Gotowa do urodzinowych skoków? — zapytała Raszka.

Przytaknęłam, ale potem potrząsnęłam głową.

— Najpierw chcę się dowiedzieć, gdzie jesteśmy.

— W studiu tańca mojej mamy — odpowiedział Fabio. — Opowiedziałem jej, że twoja impreza się nie odbędzie, a ona pozwoliła nam bawić się tutaj. Raszka, Gloria i Fryderyka pomogły mi wszystko zorganizować.

Jego ciemne oczy błyszczały, uśmiechał się od ucha do ucha. Babcia mówi czasami, że dawanie jest przyjemniejsze od brania. I faktycznie, Fabio sprawiał wrażenie, jakby cieszył się z udanej niespodzianki nawet bardziej ode mnie.

Raszka się śmiała.

— Już? — zapytała. — Do biegu, gotowa, start! Tutaj możesz spokojnie rozlewać wodę. Podłogi są szczelne.

Zamknęłam oczy i zaczęłam skakać — jedenaście razy po kolei. Przyjaciele za każdym skokiem życzyli mi szczęścia. Kiedy skończyłam, wytarliśmy rozlaną wodę, sprzątnęliśmy wannę i zaczęła się prawdziwa impreza.

Nie było żadnych wizażystów, żadnej Dalili czy Anny Lizy, po prostu dobra zabawa, która na przyjęciu urodzinowym musi być. Jedliśmy ciasto upieczone przez Penelopę i brazylijskie przysmaki Flipa i Flapa, które przynieśli moi przyjaciele, piliśmy colę i napój z guarany. Mieliśmy sobie mnóstwo do opowiedzenia. Sila i Riekje chodziły do gimnazjum w Eimsbüttel, a Całuśnik, który właściwie nazywał się Mario, do zespołu szkół w Winterhude. Mario podrósł i już nie był tak dziecinny jak w podstawówce. Wymienialiśmy się wrażeniami na temat naszych ostatnich przeżyć i wspominaliśmy historie z przeszłości: jubileusz naszej starej szkoły, która świętowała setną rocznicę powstania, balony z naszymi życzeniami, gazetkę uczniowską, akcję ratowania Bielutki, mojej małej kózki z cyrkowej łączki. Sayuri, Gus i Zoe najwyraźniej dobrze się z nami czuli, chociaż oprócz mnie właściwie nikogo nie znali.

Później zaczęliśmy tańczyć. W studiu stały ogromne kolumny, a Fabio przyniósł mnóstwo płyt. Razem z Glorią pokazałam naszym gościom kilka kroków z zajęć grupy tanecznej, ale kiedy Fabio chciał ze mną zatańczyć wolny utwór, pokręciłam głową. Patrzyłam na objętych w tańcu Raszkę i Sola i myślałam o Aleksie. Dlaczego nie mógł tu być?

I dlaczego się nie odzywał?

Dowiedziałam się tego, kiedy zabawa się skończyła.

Życie potrafi być bardzo dziwne, przynajmniej moje. Zawsze kiedy przytrafia mi się coś dobrego, zaraz nadchodzi coś złego. A z tym jest jak z wiadomościami: złe wydarzenie pozbawia dobre całej wartości.

Chwilę po siódmej przyszła mama Fabia, żeby pomóc nam sprzątać. Kiedy skończyliśmy, zadzwoniłam do babci powiedzieć, że Fabio mnie odprowadzi. Mama nie lubi, kiedy jeżdżę metrem wieczorem, ale studio tańca było oddalone tylko kilka stacji od naszego domu, a ja miałam towarzysza.

— Mama zgadza się, jeśli ruszycie w drogę od razu — poinformowała mnie babcia. — Co sądzisz o tym, żebym w tym czasie poszła wypożyczyć dla nas film? Urządzimy sobie z mamą i ciotką Lisbeth babski wieczór pizzowo-kinowy w łóżku.

— Super — odpowiedziałam, chociaż brzuch miałam jeszcze pełny. — Za pół godziny będę w domu.

— Masz przy sobie klucze do naszego mieszkania? — zapytała babcia. — Mama chce się jeszcze wykąpać.

— Mam — odrzekłam i zachichotałam. — Ale uważajcie, żeby woda się nie przelała, bo szkoda by było naszego sufitu.

— Mały zuchwalec — skomentowała babcia.

Kiedy dotarłam z Fabiem pod dom, zdążyło się już ściemnić.

— To był wspaniały dzień — stwierdziłam. — Dziękuję bardzo.

Fabio kiwnął głową i nagle spoważniał. Nabrał głęboko powietrza i pocałował mnie. W same usta. Stało się to tak szybko, że w ogóle nie mogłam zareagować — a Fabio wyglądał na przestraszonego tym, co zrobił. Jakby zdarzyło się to bez jego udziału, jakby sam nie wiedział, dlaczego mnie pocałował. Wymamrotał jakieś przeprosiny i zeskoczył ze schodów. Wstrząśnięta patrzyłam za nim.

Dopiero w tej chwili zauważyłam cień. Wyłaniał się zza drzewa przed drzwiami naszego domu, a ja ze strachu omal nie krzyknęłam. Potem go rozpoznałam — a strach stał się tak wielki, że zaniemówiłam.

Pod drzewem przed moimi drzwiami tkwił Alex. Stał tam z bukietem róż w ręce i patrzył na mnie.

Ale zanim zdołałam coś powiedzieć lub do niego podbiec, rzucił kwiaty na chodnik i uciekł. W przeciwnym kierunku niż Fabio.

Szybko jak straż pożarna.

23.

ZAMKNIĘTE DRZWI
I MÓJ PIERWSZY SMS

— Co się stało, Lolu?

To pytanie zadał mi Jeff. Zanosząc się płaczem, stałam w jego mieszkaniu, a serce waliło mi jak młotem. Tym razem nie miałam towarzysza. Popędziłam za Aleksem, ale na metro już nie zdążyłam. Widziałam, jak stał za zamkniętymi drzwiami odjeżdżającego pociągu. Musiałam zaczekać na następny.

Teraz Alex znowu zniknął w pokoju. Ze środka dobiegała muzyka. Nie bębny albo dzwonki, tylko ogłuszające basy.

— Muszę z nim porozmawiać — szlochałam.

Jeff westchnął.

— Nie wiem, czy będziesz miała szczęście — stwierdził. — Alex się zamknął i powiedział, że nie chce rozmawiać. Z nikim.

Ukryłam twarz w dłoniach.

— A możesz zadzwonić do babci i powiedzieć jej, że tu jestem?

Jeff kiwnął głową. Podczas gdy on telefonował, ja waliłam w drzwi pokoju Aleksa. Obydwoma pięściami. Wołałam jego imię i że mi przykro, i żeby mi otworzył, ale on milczał. Tylko jeszcze głośniej nastawił muzykę.

— Lolu! — Jeff chwycił mnie za ramię. — Uspokój się, proszę, i wyjaśnij mi, co się stało.

— Nie — wypaliłam. — Ty mi wyjaśnij, co się stało. Dlaczego mi nie powiedziałeś, że Alex przyjeżdża?

Jeff przejechał ręką po ciemnych włosach.

— Chciał ci zrobić niespodziankę. Wyprosił u mamy dwa dni w Hamburgu, zanim wyjadą na ferie, a mnie udało się w ubiegłym tygodniu kupić mu bilet w promocji. Dlatego mógł przyjechać dopiero dzisiaj. Odebrałem go z lotniska o siódmej, a potem pojechaliśmy do ciebie. Nikt nie otwierał drzwi, ale ponieważ przez telefon powiedziałaś mi, że wieczorem będziesz w domu, Alex chciał na ciebie poczekać. A dziesięć minut temu wpadł do domu i bez słowa zniknął w swoim pokoju. Czy teraz ty wyjaśnisz mi, co się stało?

Jeff wyglądał na bardzo przejętego całą sytuacją.

— Ja... Alex... Fabio... — Miałam trudności, żeby sklecić zdanie, ale przy imieniu Fabia Jeff się zasępił. Ukryłam twarz w dłoniach. — Proszę, spraw, by Alex ze mną porozmawiał.

— Nie mogę — odpowiedział cicho Jeff. — Kiedy jest tak wściekły jak teraz, trzeba mu dać trochę czasu. Przykro mi, Lolu. Myślę, że lepiej będzie, jak już pójdziesz. Zamówię ci taksówkę. Przyjdź jutro. Albo lepiej najpierw zadzwoń.

Zadzwoniłam. Jeszcze tego samego wieczoru. Najpierw na telefon stacjonarny, a potem na komórkę Aleksa. Wysłałam mu SMS-a. I następnego, i jeszcze jednego. Ale on nie odpowiadał. Nie odpowiadał wieczorem ani w nocy, ani następnego dnia.

W południe Jeff odebrał telefon. Ale powiedział to samo, co dzień wcześniej:

— Przykro mi. Alex nie chce z tobą rozmawiać.

W poniedziałek papai zawiózł mnie do szkoły, bo w przeciwnym razie wcale bym tam nie poszła. Na przerwie skruszony Fabio usiłował mnie przeprosić, ale niemal tego nie zauważyłam. W ogóle niczego nie dostrzegałam.

Myślałam tylko o Aleksie. Jak mogłabym go nakłonić, żeby pozwolił mi wszystko wytłumaczyć? Podczas każdej pięciominutowej przerwy wysyłałam SMS-y, zawsze tej samej treści: „Porozmawiajmy!".

W poniedziałek po południu wreszcie otrzymałam odpowiedź. Na starą komórkę dziadka, mój najwspanialszy prezent urodzinowy, przyszedł pierwszy SMS od Aleksa.

Brzmiał następująco: „Zostaw mnie w spokoju. Nie chcę cię więcej widzieć".

24.

Cztery tygodnie
i nowe uczucie

Robiło się coraz zimniej.

Dużo padało, a raz nawet spadł grad.

Pisaliśmy pierwsze klasówki z matematyki i angielskiego.

Na tańcach ćwiczyliśmy clown walk i sambę reggae.

Fabio mnie unikał, Sally chorowała.

Mama wróciła do pracy.

Jej brzuch stawał się coraz większy.

Na nowym zdjęciu mój brat ssał palec. Papai chciał nazwać go Paolo, a mamie podobało się imię Rafael.

Zaczęły się ferie jesienne.

Raszka pojechała do swego taty do Düsseldorfu.

Papai zawiózł mnie do Uelzen do przytuliska.

Od mojej ostatniej wizyty przybyły tam dwa nowe kucyki. Koza Bielutka była w ciąży.

Vivian Balibar upiekła jabłecznik. Jeździłam konno.

Ferie minęły.

Na początku listopada mama obchodziła urodziny i papai ugotował jej ulubioną potrawę: makaron z homarami.

Dla mnie była fasola, ale nie zjadłam wiele.

Poznałam nowe uczucie: złamane serce.

25.

WIECZÓR Z ANTONEM
I DRUGIE HOBBY SALLY

Po raz pierwszy poważnie o nowym uczuciu rozmawiałam z Sally. Oczywiście mama i papai próbowali mnie pocieszać, a przed feriami również moi
przyjaciele robili, co mogli, by mnie rozweselić. Jednak tego, co naprawdę czułam, nie potrafiłam wyrazić, nawet wobec Raszki. Ona była zła przede wszystkim na Fabia. Uważała, że wszystko jest jego winą i że
to przez jego głupi pocałunek znalazłam się w takiej
sytuacji. Przecież zdawał sobie sprawę, że mam chłopaka. Ale ja sama nie wiedziałam, co mam myśleć.
Pewne było tylko to, że czułam się strasznie, szczególnie gdy widziałam Raszkę i Sola razem. Raszka
najwyraźniej wyczuła, że nie potrafię rozmawiać
o swoim zawodzie miłosnym, a mój widok w takim
stanie ją zasmucał.

W poniedziałek znowu zaczęła się szkoła, a w środę
po zajęciach grupy tanecznej Sally zapytała mnie, czy

nie chciałabym w sobotę razem z nią zająć się Antonem. Co prawda miało to potrwać do późna, ale obiecała odwieźć mnie do domu taksówką. Miałam ochotę i rodzice pozwolili mi pójść.

Anton i jego mama mieszkali w Mieście Spichlerzy, tylko kilka ulic od taty Aleksa, co dotknęło mnie boleśnie. Kiedy jednak chwilę przed szóstą zadzwoniłyśmy do drzwi, moje serce po raz pierwszy od kilku tygodni biło z radości.

Otworzyła nam kobieta o długich rudych włosach. Trzymała na rękach Antona ubranego w pasiaste ogrodniczki. Chłopiec miał w ręku butelkę z napisem „Uniwersalny płyn do czyszczenia Mr. Proper". Ale w środku nie było płynu, tylko kolorowe paciorki. Tłuste paluszki obejmowały szyjkę butelki, a kiedy Anton nią machał, paciorki, pobrzękując, skakały salta.

– To ostatnio jego ulubiona zabawka – powiedziała mama Antona i z serdecznym uśmiechem uścisnęła mi dłoń. – Zatem to ty jesteś supernianią. Wreszcie mam okazję poznać cię osobiście. Sally dużo mi o tobie opowiadała. Cieszę się, że pomożesz jej opiekować się Antonem. A jakie jest twoje prawdziwe imię?

– Lola – wyznałam, wstydząc się głupiego ogłoszenia.

Mama Antona była naprawdę miła. Nazywała się Luiza Hoffmann i ze swoimi rudymi włosami oraz licznymi piegami wyglądała jak dorosła Pippi Pończoszanka.

Zaproponowała, żebym zwracała się do niej po imieniu, i poinformowała nas, że wybiera się z koleżanką do kina, a potem do kawiarni.

— Kolacja Antona stoi w kuchni — poinformowła.

— A wy możecie zrobić sobie pizzę w piekarniku. Sally, wiesz, gdzie co jest. Wrócę przed północą, ale cały czas będę miała włączoną komórkę i gdyby coś się działo, dajcie znać, dobrze?

Sally wzięła Antona na ręce i podeszła z nim do okna. Kiedy Luiza już na ulicy odwróciła się do nas jeszcze raz, Sally wzięła rączkę Antona i pomachała nią.

— Mamamama — powiedział chłopczyk, ale nie wyglądał na smutnego.

— Luiza mówi, że w odróżnieniu od innych dzieci on nie boi się obcych — stwierdziła Sally i się zaśmiała. — Do każdego się uśmiecha, ale ciebie chyba lubi szczególnie.

— Jak długo się nim opiekujesz? — zapytałam.

— Od czterech miesięcy — odparła Sally. — Na początku Luiza karmiła go piersią. Wtedy najczęściej przychodziłam popołudniami i zajmowałam się nim, kiedy ona pracowała.

Rozejrzałam się po salonie. Był mały i zawalony książkami. Ich stosy piętrzyły się na podłodze, biurku, wypełniały sięgające sufitu regały.

— A co robi Luiza?

— Jest redaktorką — wyjaśniła Sally.

— Aha — wymamrotałam. Zastanawiałam się, czym zajmuje się redaktorka.

Sally uśmiechnęła się, jakby czytała w moich myślach.

— Redaktorka opiekuje się pisarzami — wyjaśniała mi. — Sprawdza ich opowiadania, rozmawia z nimi o fragmentach, które powinni napisać inaczej, i udziela im rad, kiedy nie mogą ruszyć dalej.

— Daba — odezwał się Anton i rzucił butelkę na podłogę. Byłam pod wrażeniem słów Sally. Kocham książki, ale do tej pory nie zastanawiałam się nad tym, jak pracują pisarze, a na pomysł, że potrzebują doradców, nigdy bym nie wpadła.

Poszłyśmy do kuchni i Sally pozwoliła mi nakarmić Antona. Dostał purée marchewkowo-ziemniaczane, takie samo, jakie gotował dla mnie papai, kiedy chorowałam. Anton był zdrowy jak ryba — i dosyć głodny. Miał już pięć zębów, trzy na dole i dwa na górze, i za każdym razem, kiedy wyjmowałam mu łyżkę z buzi,

uderzał otwartą rączką w stół, jakby niewystarczająco szybko dostawał kolejną porcję. Kiedy już wszystko zjadł, poszłyśmy do jego pokoju, żeby przygotować go do spania.

Nad łóżeczkiem chłopca wisiała karuzela z gwiazdkami, księżycem i trzema owieczkami. Na suficie również namalowane były owieczki. Skakały przez białe chmurki, a Anton, leżąc na przewijaku, coś do nich mówił w swoim języku.

Sally pozwoliła mi go rozebrać i przewinąć, objaśniając krok po kroku, co powinnam robić. Kiedy Anton wierzgał tłuściutkimi nóżkami, mój wzrok padł na jego fistaszka. Wtedy przypomniała mi się rozmowa z Aleksem, kiedy jeszcze wszystko było dobrze, i nagle znowu łzy napłynęły mi do oczu.

— Co się właściwie z tobą dzieje? — zapytała Sally, kiedy założyłam Antonowi piżamkę i usiadłam z nim w bujanym fotelu. Jego oczy były szkliste i z zadowoleniem ssał smoczek. — Już od kilku tygodni jesteś taka smutna.

— Złamane serce — szepnęłam.

— Rozumiem. — Sally patrzyła na mnie ze współczuciem. Nie dopytywała się dalej, ale nagle wszystko ze mnie wypłynęło. Opowiedziałam jej, jak poznałam Aleksa i że jego *maman* mieszka w Paryżu, a tata kilka ulic stąd — a w końcu także o tym, co stało się w dniu moich urodzin i co Alex napisał w swoim pierwszym i ostatnim SMS-ie do mnie.

– I ty na to pozwoliłaś? – zapytała Sally.

Zmarszczyłam brwi.

– A co miałam robić? – odrzekłam. – Wyraźnie powiedział, że nie chce mieć ze mną więcej do czynienia.

– Napisał do ciebie SMS-a! – stwierdziła z pogardą Sally. – To raczej godne pożałowania, jeśli chcesz znać moje zdanie. Poza tym na pewno nie myślał tak naprawdę. Uraziłaś jego dumę. Gdybyś go faktycznie oszukiwała, jego zachowanie byłoby jeszcze zrozumiałe. Ale żeby nie dać ci się wytłumaczyć ani jednym słowem... Sorry, tak się nie robi! Odczekaj, aż znowu przyjedzie. Złap go wtedy i zmuś, żeby cię wysłuchał.

– To może potrwać. – Westchnęłam. Jednak jej słowa przyniosły mi ulgę. Byłam smutna. Zrozpaczona. Bezradna. Ale nie wściekła – przede wszystkim nie na Aleksa. Poczułam, że Sally ma rację. Alex nie pozwolił mi wyjaśnić, co się naprawdę stało, a obwinianie go łagodziło mój ból. I może Sally miała rację, że Alex nie myślał tak naprawdę. Może faktycznie miałam jeszcze szansę.

Zagłębiłam koniuszki palców w loczkach Antona i zmierzwiłam jego czuprynę, tak jak często robił papai. Anton, podobnie jak ja, rozkoszował się tym. Jego oddech stawał się spokojniejszy i głębszy, a powieki coraz cięższe. Jeszcze je otwierał i mocno ssał smoczek, aż wreszcie całkiem zamknął oczy. Wyglądał tak spokojnie, imię pasowało do niego idealnie. Czy mój młodszy brat też będzie taki słodki jak on?

Kiedy położyłam chłopca do łóżeczka, zadzwoniła komórka Sally. Dziewczyna wybiegła z pokoju, a kiedy wróciła, pochyliła się nad łóżeczkiem i popatrzyła na Antona, który spał głęboko i mocno. Żałowałam, że nie ma już nic do zrobienia. Ale może teraz obejrzymy jakiś film. Albo porozmawiamy. O miłości albo o tańcu.

— Lola, ja... — Sally chrząknęła. — Chciałam cię o coś zapytać. Tak dobrze sobie radzisz z Antonem, a on teraz śpi, jestem pewna, że się nie obudzi. A do mnie właśnie zadzwonił kolega, który ma problem i potrzebuje pomocy. Więc pomyślałam...

Na zewnątrz rozległ się dźwięk klaksonu. Sally podeszła do okna. Podniosła rękę i kiwnęła głową.

— Pomyślałam, że mogłabym na krótko wyjść — znów zwróciła się do mnie. — Luiza na pewno nie wróci przed wpół do dwunastej, a ja będę najpóźniej za godzinę. *Okay?*

Wzięłam głęboki oddech. Pomyślałam: „nie", ale powiedziałam:

— Tak.

— Super! — Sally rzuciła mi rozpromienione spojrzenie. — Jesteś prawdziwym skarbem, Lolu! — Dała mi całusa w policzek. Potem chwyciła kurtkę i po kilku sekundach drzwi za nią zamknęły się na klucz.

Podeszłam do okna. Przed drzwiami stał oparty o motor chłopak. Trzymał w ręce puszkę piwa, którą teraz przystawił sobie do ust i duszkiem wypił. Potem kopnął ją na ulicę, a ja się zastanawiałam, czy mówiąc o problemie, Sally nie miała na myśli alkoholu.

W każdym razie chłopak nie wyglądał na kogoś, kto potrzebuje pomocy. Kiedy Sally wyszła z domu, pocałował ją w usta, klepnął w pupę i podał jej kask. Sally rzuciła jeszcze jedno spojrzenie do góry. Schowałam się za zasłoną i nagle przypomniała mi się siostra Fabia. „Mam problem z jej drugim hobby". Tak Graziella powiedziała o Sally, a kiedy chciałam wiedzieć, o jakie hobby chodzi, odpowiedź brzmiała: „Nic dla małych dziewczynek".

Kiedy wyjrzałam na zewnątrz, chłopak i Sally pędzili już na motorze.

Zostałam sama z Antonem.

26.

WIECZÓR PEŁEN
NIEMOWLĘCYCH PYTAŃ

A teraz otrzymacie cenną wskazówkę: jeśli kiedyś spotkacie wróżkę, która zapyta was, czego pragniecie, bądźcie ostrożni! Uważajcie, czego chcecie, a przede wszystkim, jak sformułujecie życzenie. W przeciwnym razie może się wam przydarzyć to co mnie: wasze życzenia się spełnią i narobicie bigosu.

Mnie – bez udziału wróżki – ZNOWU się to przytrafiło! Chciałam znaleźć pracę jako niania. Pragnęłam spotkać rodziców, którzy powierzyliby mi swojego dzidziusia, żebym mogła poćwiczyć przyszłą rolę starszej siostry młodszego brata. Raszka uznała to za totalnie zwariowany pomysł, rodzice uważali, że jestem za mała, a Graziella zastanawiała się, „kto pozwoli jednemu dziecku opiekować się innym".

I co się stało? Dostałam dokładnie to, czego chciałam. Byłam zupełnie sama z malutkim chłopczykiem.

Tylko w moich wyobrażeniach zabrakło dziewczyny, która zabrałaby mnie na *babysitting*, żeby się potem ulotnić, nie mówiąc o tym mamie dziecka. Zostałam — w tajemnicy przed wszystkimi — sama z niemowlakiem, z kamieniem w żołądku i głową pełną pytań, które nagle zaczęły wirować.

Co zrobię, jeśli Anton nagle się obudzi i zacznie płakać? Jeśli dostanie gorączki, rozboli go brzuch albo coś innego lub dostanie ataku biegunki — a w najgorszym wypadku wszystko to zdarzy się razem?

Co chwila zaglądałam do jego pokoju, aby posłuchać, czy śpi. I spał. Leżał w swoim łóżeczku na brzuchu i nie wydawał z siebie żadnego dźwięku. Panowała absolutna cisza.

Łaziłam po mieszkaniu Luizy. Wypiłam szklankę wody. Zjadłam kawałek zimnej pizzy, zajrzałam do Antona, włączyłam telewizor i znowu go wyłączyłam, wędrowałam wzdłuż wysokich regałów. Do tej pory tyle książek naraz widziałam tylko u babci. Połowa regału wypełniona była lekturami dla dzieci. Odkryłam *Braci Lwie Serce*, *Emila ze Smalandii* i *Pippi Pończoszankę*, a na regale obok stał gruby poradnik dla młodych rodziców. To było coś odpowiedniego dla kogoś takiego jak ja. Usiadłam po turecku na podłodze, otworzyłam książkę na środku — i w ciągu minuty z dudniącym sercem zerwałam się na nogi.

Rozdział, który otworzyłam, nosił tytuł: *Nagła śmierć łóżeczkowa*.

Już pierwsze linijki obniżyły mi temperaturę krwi w żyłach do przynajmniej trzydziestu stopni poniżej zera.

„O nagłej śmierci łóżeczkowej — czytałam — mówi się, gdy niemowlę niespodziewanie i bez widocznych przyczyn umiera we śnie". Dalej autorzy informowali, że „ta choroba, która w Niemczech jest najczęstszą przyczyną śmierci dzieci w pierwszym roku życia, pojawia się najczęściej nagle, bo dziecko spokojnie śpi w łóżeczku, a wcześniej wydawało się zdrowe jak ryba". Kawałek dalej przeczytałam jeszcze: „Obecnie znanych jest wiele czynników ryzyka, do których należy spanie w pozycji na brzuchu".

Moje myśli popędziły do Antona, który leżał w łóżeczku i błogo spał — na brzuchu.

Kiedy weszłam do jego pokoju, nogi miałam sztywne ze strachu. Panowała niesamowita cisza. Tak niesamowita, że słyszałam własne serce trzepoczące w klatce piersiowej niczym spłoszony koliber.

Pochyliłam się nad łóżeczkiem. Głowa Antona leżała na boku, tak że mogłam dostrzec jedno zamknięte oko, połowę nosa i połowę ust. Przy-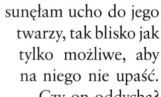sunęłam ucho do jego twarzy, tak blisko jak tylko możliwe, aby na niego nie upaść.

Czy on oddycha?

Nic nie słyszałam.

Położyłam dłoń na jego plecach. Przycisnęłam troszkę, potem opuszkami palców postukałam w piżamkę z nadrukowanymi małymi słoneczkami. Teraz krew dla odmiany zaczęła we mnie wrzeć. Czułam się tak, jakbym nagle dostała wysokiej gorączki. Chwyciłam Antona za ramię i lekko potrząsnęłam. Nic. Potrząsnęłam mocniej. Nic! Spał jak... jak... jak zabity?

— ANTON! — krzyknęłam. — Proszę. Obudź się. OOOOBUDŹ się, proszę!

I Anton otworzył jedno oko. A potem połowę ust. A potem całe. Przewrócił się na plecy, popatrzył na mnie i nabrał powietrza. Przez chwilę znowu był tak cicho, że pomyślałam, iż nagle i nieoczekiwanie umarł na zawał serca. Potem wypuścił powietrze. I zaczął wrzeszczeć.

Ja również wypuściłam powietrze.

Płacz był w każdym razie lepszy od jego braku, bo płaczące dziecko to żywe dziecko.

A Anton stał się nagle bardzo, ale to bardzo żywy. Kiedy wyjmowałam go z łóżeczka, darł się jak opętany.

— Już dobrze, mój mały — szeptałam. — Już wszystko dobrze. Lola tu jest. Chciałam tylko zobaczyć, czy z tobą wszystko w porządku.

Chodziłam z nim po ciemnym pokoju, poklepywałam go po pleckach i o dziwo w końcu przestał płakać.

199

Zamiast tego zaczął piszczeć. Przebierał nóżkami, gołą stópkę wbił mi między żebra, ciągnął mnie za włosy i podskakiwał mi na rękach. Szukając na oślep włącznika światła, znalazłam na nocnym stoliku butelkę z wodą. Podałam mu ją, ale on odepchnął ją jednym ruchem ręki.

— Bwa — wydał z siebie dziwny odgłos. — Daba. Mamamamama.

— Mama za chwilę przyjdzie — odpowiedziałam, choć miałam nadzieję, że ta chwila nie będzie zbyt krótka. Spojrzałam na zegarek. Dwadzieścia po dziesiątej. Sally nie było już od godziny. Chwytałam każdą zabawkę, którą znalazłam, i podawałam ją Antonowi. Grzechotkę, białego pluszowego zajączka, plastikową trąbkę i pluszową książeczkę dla dzieci, na której nadrukowany był czerwony robak. Ale Anton nie chciał robaka ani niczego, co mu oferowałam. Wszystko wyrzucał jednym zamaszystym ruchem ręki i coraz bardziej zniecierpliwiony powtarzał: „BWA".

Teraz przydałaby się prawdziwa zaklinaczka niemowląt. Mogłaby mi powiedzieć, co Anton ma na myśli, mówiąc „bwa". Niestety ta czarodziejka istniała tylko w mojej wyobraźni i sama musiałam próbować czytać w myślach mojego podopiecznego. Poszłam z nim do salonu, gdzie usiłował wyzwolić się z moich rąk, coraz mocniej wierzgając nóżkami. W końcu posadziłam go na podłodze. Przykucnął, rozejrzał się po pokoju i oparł się na łokciach i kolanach. Najpierw bujał się w przód i w tył. Potem ruszył do przodu, podciągając się na rękach i ciągnąc pupę i kolana za sobą. Wyglądał komicznie, jak mała gruba foczka.

— Świetnie, Anton! — zawołałam.

— Bwa — powiedział znów Anton. Pacnął rączką w podłogę i przerwał swoje focze ruchy. Nagle zaczął raczkować. Najpierw malutki kawałeczek. Potem klapnął pupą na podłogę i przez chwilę wyglądał tak, jakby chciał się rozpłakać. Popatrzył na mnie, a ja zaklaskałam w dłonie.

Może „BWA" było skrótem od „bobas woli aktywność".

Poklepałam go leciutko po pupie.

— Jeszcze raz — zachęcałam. — Naprawdę dobrze ci idzie.

— BWA, BWA! — powiedział Anton i podjął kolejną próbę. Tym razem wyglądał jak mały tłusty szczeniak, który właśnie odkrył wspaniały świat ruchu. Poszedł na czworakach pod biurko i podciągnął się do pionu przy wysokim stosie książek. Teraz stał na swoich bosych stópkach i się chwiał. Przez to również wieża z książek zaczęła się kołysać, a ja nie zdążyłam w porę chwycić Antona. Wylądował na brzuchu wprost na książkach na podłodze.

Rzuciłam się, żeby go podnieść, ale on z trudem sam wstał. Klasnął i zaczął wyrywać kartki z książki.

Ojej!

— Nie wolno! — zawołałam. Anton był jednak innego zdania. Kiedy chciałam przytrzymać mu rączki, podniósł wrzask, a ja stwierdziłam, że lepsze zadowolone dziecko niż nienaruszona książka. Jego następnym celem stał się kosz z wełną stojący koło kanapy. Po walce kłębków wełny nastąpił grad ołówków. Ołówki tkwiły w filiżance stojącej przy łóżku. Druga filiżanka wypełniona była zimną kawą, ale zauważyłam to dopiero, kiedy brązowa ciecz rozlała się na stole. Anton promieniał, a mnie przypomniała się moja mała kózka Bielutka.

Jeszcze jedno spostrzeżenie: dzidziusie pozostaną dzidziusiami, wszystko jedno, czy chodzi o kozy, czy o ludzi. Kiedy wpuściłam cyrkową kozę do mieszkania, Bielutka w równie krótkim czasie narobiła równie wielkiego bałaganu.

Popędziłam do kuchni, a kiedy wróciłam ze ścierką, Anton właśnie wyciągał książki z półki. Może rósł w nim mały pisarz. Albo redaktor. Albo miotacz książkami.

— Nie uważasz, że już wystarczy? — zapytałam z westchnieniem, kiedy *Emil ze Smalandii* leciał w powietrzu. Anton rozkręcił się na dobre, a ja byłam tym nieco przerażona — podobnie jak Sally, która nagle pojawiła się w salonie.

— Co tu się dzieje?! — zawołała zdumiona.

— Ja... ee... — Nie widziałam, co powiedzieć. To, że właśnie uratowałam Antona przed śmiercią łóżeczkową, nie wydawało mi się właściwą odpowiedzią, a Sally nie zdołała zadać dalszych pytań, bo właśnie w drzwiach obrócił się klucz i po paru sekundach w progu stanęła mama Antona. W tym czasie chłopiec doszedł już do okna, które okazało się ostatecznym celem.

Ostatnia wskazówka na marginesie: „BWA" w języku niemowląt znaczy „Mr. Proper".

Dopiero teraz przypomniało mi się, jak Luiza mówiła, że butelka po płynie „Mr. Proper" to obecnie ulubiona zabawka Antona. Machał nią, jakby była trofeum w mistrzostwach raczkowania. Luiza miała usta szeroko otwarte i zanim Sally zdążyła coś powiedzieć, łzy napłynęły jej do oczu.

— Nie wierzę — szepnęła. — Anton raczkuje. Czekałam na to od tygodni. — Wzięła go na ręce i przycisnęła do siebie. — Jak to się stało? — zapytała poruszona.

— Obudził się — powiedziałam. — I ja, to znaczy MY poszłyśmy z nim do salonu. A potem po prostu ruszył...

— Właśnie tak — potwierdziła Sally, która szybciutko ściągnęła z siebie kurtkę. Jej twarz była blada. — To się stało tak nagle. — Rzuciła mi błyskawiczne spojrzenie, a potem popatrzyła na Luizę. — Wspaniale, prawda?

Luiza kiwnęła głową. Czule spojrzała na Sally.

— Kiedy ty zaczęłaś raczkować, twoja mama też tego nie widziała, tylko ja. A teraz ty byłaś przy moim dziecku.

Sally przygryzła dolną wargę i spuściła głowę.

Mama Antona była tak szczęśliwa, że ani słowem nie skomentowała bałaganu, którego narobił jej syn. Powiedziała, że zajmie się sprzątaniem, i po zapłaceniu Sally zamówiła nam taksówkę.

Siedząc obok mnie na tylnym siedzeniu, Sally w ogóle się nie odzywała. W samochodzie czuć było alkohol, a ja miałam ponure przeczucie, że smród nie pochodził od kierowcy. Kiedy zatrzymaliśmy się przed naszym domem, Sally nie popatrzyła mi w oczy.

— Dzięki — wymamrotała. — To było bardzo miłe z twojej strony. Masz, to dla ciebie.

Podała mi pięć euro, ale potrząsnęłam głową.

— Nie robiłam tego dla pieniędzy — odrzekłam.

Potem pobiegłam i zadzwoniłam do drzwi.

Papai był już w domu.

— I jak? — zapytał.

— Dobrze — wymamrotałam, jeszcze zbyt przejęta, żeby opowiedzieć, co się zdarzyło. Zniknęłam w swoim pokoju, włożyłam piżamę, a kiedy szłam do łazienki umyć zęby, usłyszałam, jak papai śpiewa: *Meu pequeno príncipe, você é lindo, o mais lindo do mundo.* Znaczyło to: „Mój mały książę, jesteś taki piękny, najpiękniejszy na świecie". Nie wiem dlaczego, ale każde słowo przepełniało mnie bólem.

— Twój mały braciszek znowu gra w piłkę nożną — powiedziała mama i uśmiechnęła się do mnie. Papai położył dłoń na jej brzuchu i wyglądał na bardzo szczęśliwego. Ja miałam zimne stopy, a w brzuchu mi burczało.

— Wolicie jego niż mnie?

Te słowa po prostu wyskoczyły mi z ust, zanim zdążyłam pomyśleć. Papai podniósł wzrok, a mama zrobiła przestraszoną minę.

— Co ci przychodzi do głowy, Lolu? — zapytała.

Wzruszyłam ramionami. Nadal stałam w drzwiach sypialni. Mama rozłożyła ramiona, ale podeszłam do niej bardzo powoli.

— Jego przecież jeszcze nie ma — odezwał się papai, kiedy usiadłam na brzegu łóżka.

— Nieprawda! — odparłam. — Nie możemy go jeszcze zobaczyć. Ale on jest. Nie zauważacie tego? Wszystko, co robimy i myślimy, dotyczy jego. Ty nawet śpiewasz dla niego piosenkę. I mówisz, że jest najpiękniejszy na świecie.

Nagle zaczęły mnie piec oczy.

Teraz również papai wyglądał na przestraszonego.

— Ale to tylko piosenka. A ty przecież jesteś przynajmniej równie piękna. — Przeszedł nad mamą i przyciągnął mnie do siebie. Pocałował mnie w czubek nosa, popatrzył na mnie, a potem na mamę i zapytał: — Kogo kochasz bardziej, Lolu: mamę czy mnie?

Zdziwiłam się.

— A cóż to za głupie pytanie? Oczywiście, że oboje tak samo.

I w tej samej chwili zauważyłam, że to nieprawda. Mamę kochałam inaczej niż tatę. A tatę inaczej niż mamę. Kochałam ich oboje równie mocno, ale w różny sposób, dlatego że byli różnymi ludźmi. Spojrzałam na brzuch mamy.

— Myślę, że wiem, o co ci chodzi — powiedziałam do taty.

— Widzisz? — Papa i uśmiechnął się do mnie. — I tak właśnie będzie z tobą i z twoim bratem. I mogę cię już teraz zapewnić, że ciebie kochamy dłużej niż jego. Nasza miłość do ciebie ma jedenaście lat przewagi.

Mama się uśmiechnęła.

— Jedenaście lat i dziewięć miesięcy, żeby być dokładnym.

Uśmiechnęłam się. Wtuliłam się między rodziców, oparłam głowę o brzuch mamy i nagle poczułam, że jestem bardzo zadowolona.

Opowiedziałam im, jak przewijałam i karmiłam Antona i jak on zaczął raczkować. Wspomniałam też o strachu przed śmiercią łóżeczkową, lecz mama zapewniła mnie, że nie muszę się martwić, bo to na szczęście zdarza się bardzo, ale to bardzo rzadko.

— Słyszałam o niemowlęciu, które w wieku dwóch i pół miesięcy potrafiło raczkować do tyłu — przypomniała sobie mama. — Ale historii dziecka, które zmarło śmiercią łóżeczkową, nawet ja nie znam.

A to już coś znaczyło. Słowa mamy mnie uspokoiły. Tylko myśli o Sally ciągle snuły mi się po głowie. O tym, że mnie zostawiła samą z Antonem i że czuć było od niej alkohol, nie opowiedziałam rodzicom.

GRAD PYTAŃ

I OGNISTY TANIEC

Opowiedziałam o tym wszystkim Raszce — ale chyba lepiej byłoby wcale nie poruszać tego tematu. Była sobota, siedziałyśmy na belce zagrody dla kóz przy naszej podstawówce. To ja chciałam tu przyjść. Tęskniłam. Za naszymi kozami Śnieżynką i Kropeczką. Za starą szkołą. I w jakiś sposób również za moim dawnym życiem. Nowe życie wydało mi się nagle takie... skomplikowane. Czy tak się dzieje, gdy jest się starszym? Czy dorastanie polega na tym, że wszystko staje się trudniejsze? Że człowiek sam coraz częściej pakuje się w kłopoty — nawet jeśli tego nie chce?

Teraz kłopotem okazała się reakcja Raszki. Gdy opowiadałam jej o zniknięciu Sally, na jej czole pojawiły się oznaki zbliżającej się burzy. Kiedy skończyłam, rozpętała się wściekła awantura. Raszka rzadko się denerwuje, właściwie z nas dwóch ja jestem tą bardziej wybuchową. Ale teraz z jej oczu sypnęły się praw-

207

dziwe iskry i spadł na mnie grad pytań. Pytań, na które w ogóle nie chciałam odpowiadać.

— Czy ta Sally ma nie po kolei w głowie?! Nie widzisz, że ta dziewczyna cię totalnie wykorzystuje? I to w jakim celu? Do której klasy chodzi Sally? Do dziesiątej, prawda? Ile wtedy ma się lat? Piętnaście? Wiesz, od ilu lat wolno pić alkohol? Pojmujesz, jaka to niebezpieczna rzecz?

— Nie — wymamrotałam. Nie miałam żadnego doświadczenia z alkoholem. Bo i skąd: miałam dopiero jedenaście lat, a tatę widziałam podchmielonego najwyżej raz. Zabawnie się wtedy zachowywał i robił głupie żarty, z których sam najgłośniej się śmiał.

Raszka natomiast sporo przeszła. Jej tata Eryk był alkoholikiem. Dawniej codziennie się upijał. Pewnego dnia tak bardzo, że zostawił córkę w śmierdzącej knajpie, w środku nocy na Reeperbahn w Hamburgu. Raszka chodziła wtedy do pierwszej klasy. To wtedy Penelopa wyrzuciła męża z domu. Raszka do ubiegłego lata nie miała z nim żadnego kontaktu. Umarł dla niej. Do chwili gdy ja go — że tak powiem — przywróciłam do życia. To ja połączyłam ich oboje. Obecnie tata Raszki nie bierze kropli alkoholu do ust. Ale to, że przez takiego ojca samo słowo „alkohol" wyprowadza ją z równowagi, wydaje się zrozumiałe.

— Ale Sally nie jest alkoholiczką — zaprotestowałam, podając Śnieżynce jedną z przyniesionych przez nas marchewek. „Chrup, chrup, chrup" — Śnieżynka zjadła mi warzywo z ręki i zabeczała. Kropeczka ocierała się rogami o szopę. „Kozom to dobrze — pomyślałam. — Chrupią marchewki, ocierają rogi i nie muszą sobie łamać głowy trudnymi pytaniami". — Jak sama powiedziałaś, Sally ma przecież dopiero piętnaście lat — kontynuowałam, bo Raszka nie odpowiadała. — Może wypiła tylko mały łyczek.

— Ale faktem jest, że PIŁA. — Raszka przejechała ręką po rozczochranych włosach. Jej oczy wciąż iskrzyły, a policzki były bardzo czerwone. — Faktem jest też, że zostawiła cię samą. Z malutkim dzidziusiem. Nie mówiąc o tym jego mamie. TAK SIĘ NIE ROBI! Jak możesz pozwolić tak się wykorzystywać?!

— Uspokój się już — wymamrotałam. Przemowa Raszki zaczęła mi przypominać rodzicielskie kazanie. Zastanawiałam się, czy mama też by się tak wściekła. Kropeczka ocierała się teraz rogami o moją pupę, więc podałam jej marchewkę. — No, wy dwie? Też za nami tęsknicie? — Mierzwiłam sierść Kropeczki i patrzyłam w stronę małpiego mostku, na którym tak często się mocowałyśmy. Dla zabawy. Jak to dzieci.

Nagle przestałam się sobie wydawać dzieckiem. Ale dorosła też się nie czułam. Czy wszyscy w wieku jedenastu lat mają podobne odczucia? Czy lepiej będzie, gdy skończę dwanaście lat? Albo trzynaście, czternaście, piętnaście? Przy piętnastu latach moje myśli powróciły do Sally i alkoholu i musiałam westchnąć.

— Chodź — powiedziałam do Raszki i ją szturchnęłam. — Kto pierwszy na małpim mostku!

Wtedy moja przyjaciółka przestała pomstować. Wskoczyłyśmy na mostek jednocześnie i fiknęłyśmy koziołka z drugiej strony. Ze śmiechem ponownie wdrapałyśmy się na górę i zaczęłyśmy walczyć — piętnaście cudownych rund, aż nie mogłyśmy złapać tchu i głupie myśli opuściły moją głowę.

W poniedziałek były tańce. Kiedy pan Demmon nauczył nas kilku nowych kroków hiphopowych, zaczęliśmy rozmowę o tym, jak wyobrażamy sobie przedstawienie na koniec półrocza.

— Fajnie byłoby znaleźć jakiś temat — odezwała się Johanna, dziewczyna z ósmej klasy. — Moglibyśmy wystąpić jako zombie wstające z dymiących krypt, tak jak w *Thrillerze* Michaela Jacksona.

— Zombie nie są fajne — odezwał się chłopak w baseballówce, którego imienia ciągle nie mogłam zapamiętać. — Super byłoby coś takiego, jak robi grupa

Stomp, która tańczy do wszelkich możliwych bębnów i spełniających ich funkcję przedmiotów.

— Albo streetdance jak w slumsach Nowego Jorku — zaproponował Benji, chłopak o ciemnej skórze, który był już z pewnością w dziesiątej klasie.

— Albo samba reggae jak w Salvadorze da Bahia.

Ta propozycja wyszła od Fabia. Jego wzrok przez krótką chwilę spoczął na mnie, ale od razu gdzieś uciekł. Ja również spojrzałam w drugą stronę, bo to był kolejny temat, z którym sobie nie radziłam. Od pocałunku przed moim domem nie zamieniliśmy słowa. I tym razem Fabio nie uśmiechał się tak jak po swojej niespodziewanej wizycie w restauracji. Ja też się nie uśmiechałam. Ten pocałunek wszystko popsuł. Straciłam Aleksa. I przyjaźń z Fabiem. Byłam wściekła na tego chłopaka, ale też trochę mu współczułam i brakowało mi go. Wszystkie te uczucia mieszały się we mnie i nawzajem zwalczały, wprawiając mnie w zupełną dezorientację.

— A co powiecie na mieszankę? — zapytała Gloria.

— Trochę Brazylii i trochę Ameryki. Południe spotyka się z Północą, że tak powiem.

— Bitwa! — Ups. Zaczerwieniłam się. Ta propozycja wyszła ode mnie, po prostu ze mnie wyskoczyła.

Pan Demmon zmarszczył brwi, potem spojrzał na mamę Fabia, która kiwała głową.

— Pomysł Loli jest genialny! — Sally uniosła kciuk.

— Moglibyśmy przerobić *Beat It*. W tym przeboju Mi-

211

chaela Jacksona też zwalczają się dwie bandy. My zrobimy po prostu jedną brazylijską i jedną amerykańską. Przecież to pasuje. To idealna dla nas koncepcja!

Sally spojrzała na Darię, potem na pana Demmona. Tym razem oboje przytaknęli.

— Macie rację, to naprawdę dobry pomysł — potwierdził nasz nauczyciel. — Moglibyśmy...

— ...wybrać przywódcę każdej bandy — przerwała mu Sally. Była pełna entuzjazmu. — Albo przywódczynię. — Uśmiechnęła się do mnie. — I wtedy pokażemy sobie nawzajem, co potrafimy. Jedna banda stara się pobić drugą. Do tego nie musimy nawet opracowywać specjalnej choreografii, możemy improwizować na bazie kroków, których się tutaj nauczyliśmy.

Głowa mnie swędziała. Może Sally miała kilka dość niemiłych cech, ale nie brakowało jej też zalet. To, że podchwyciła mój pomysł — i że powstało z niego coś takiego — napełniło mnie dumą.

— A co wy o tym sądzicie? — Pan Demmon popatrzył na grupę.

Wszyscy się zgodzili. Postanowiliśmy od następnego tygodnia podzielić się na dwie grupy. Jedna będzie pracować z panem Demmonem, a druga z Darią. Ponieważ zostało nam trochę czasu, mama Fabia zaproponowała, abyśmy jeszcze chwilę potańczyli.

— Pomyślałam, że pokażę wam coś z tańców bogów candomblé — powiedziała. — Czy słyszeliście już kiedyś o Xangô?

Xangô wymawia się „szango" i oczywiście słyszałam o nim w Brazylii. Nasz przyjaciel Kaku opowiadał o nim w swoim magicznym domu na drzewie. I kiedy mama Fabia spojrzała na grupę, słowa Kaku nagle we mnie ożyły, jakbym je dopiero co usłyszała.

— Xangô to bóg ognia! — krzyknęłam. — Mieszka w grzmocie i piorunie. Kiedy się złości, jego moc niszczy, a w tańcu jest dziki i ognisty tak jak rytm bębnów.

Wszyscy popatrzyli na mnie, także Fabio, który odważył się na lekki uśmiech. Odwzajemniłam go, ale tylko połowicznie, kącikiem ust.

— No to wezwijmy bębny — rzekła Daria. Puściła ognisty kawałek i zademonstrowała nam ruchy Xangô. Naprawdę były pełne ognia. Ramiona drgały w powietrzu, stopy uderzały na przemian do tyłu i do przodu, szybko, coraz szybciej.

Bogów candomblé nazywa się w Brazylii Orixás. Są czymś w rodzaju bogów opiekuńczych o przeróżnych właściwościach. Każdy człowiek ma swojego stróża, który najlepiej do niego pasuje. W Brazylii kilka razy mówiono mi, że jestem córką Oxum. To bogini wód słodkich, piękna i miłości. Teraz miałam wrażenie, że posiadam również cechy Xangô. W tańcu wyraźnie czułam w sobie jego ogień.

Wszystkie głupie myśli opuściły moją głowę.

— Tańczysz naprawdę niesamowicie — powiedziała do mnie Sally na koniec zajęć. — Można tylko pozazdrościć. Ja muszę nieustannie ćwiczyć. A tobie to po prostu wychodzi — ot tak.

— Ee... dziękuję — wyjąkałam.

— Proszę bardzo. — Sally położyła mi rękę na ramieniu. — Mam nadzieję, że nie gniewasz się na mnie za to, że tak późno wtedy wróciłam. Naprawdę świetnie dałaś sobie radę z Antonem. Jego mama dzwoniła do mnie później. Możesz jeszcze kiedyś ze mną pójść. Oczywiście podzielę się z tobą zyskiem. — Mrugnęła do mnie. — Nawet kiedy praca sprawia przyjemność, nie trzeba jej wykonywać za darmo.

Wzięłam głęboki oddech. Kiwnęłam głową. Nie wiedziałam, co powiedzieć. Nie uważałam, że Sally mnie wykorzystuje. Ona mnie lubiła. Niektóre sprawy czuje się przez skórę, rozumiecie? Bardzo chciałam jeszcze kiedyś pójść z nią do Antona. Spodobało mi się opiekowanie się nim. Postanowiłam szepnąć Raszce dobre słówko na temat Sally. Lubiłam tę dziewczynę i było dla mnie ważne, aby moja najlepsza przyjaciółka też ją polubiła. Może nadarzy się okazja, żeby poznała ją z dobrej strony?

SZCZĘŚCIE I NIESZCZĘŚCIE
W MIŁOŚCI

Okazja nadarzyła się trzynastego listopada, w sobotę, kiedy Penelopa dawała koncert w „Perle Południa". Zapewne pamiętacie, że Penelopa potrafi pięknie śpiewać, a najcudowniej śpiewa brazylijskie piosenki. Dlatego czasami występuje w naszej restauracji. Dla mnie i dla Raszki jest to zawsze coś szczególnego — a tym razem postanowiłam zaprosić też Sally. Kiedy się zgodziła, byłam naprawdę podekscytowana.

Restauracja została udekorowana kwiatami i girlandami. Przygotowano brazylijski bufet, a na barze stała wielka szklana waza wypełniona po brzegi „perłami południa", które miały przynieść gościom szczęście.

Dziadek pomagał młodej kelnerce w obsłudze gości, a papai za barem miksował napoje. Dorośli pili caipirinhę, brazylijski koktajl z wódką z trzciny cukrowej. Dla dzieci była caipirinha ze sprite'em. Spośród

moich przyjaciół przyszła tylko Raszka. Siedziałam
z nią przy barze, kiedy pojawiła się Sally ubrana w krótką dżinsową spódniczkę i żółty T-shirt, z rozpuszczo-
nymi włosami. Kiedy do nas podeszła, cała głowa
mnie zaswędziała.

— To jest Sally — przedstawiłam ją. — A to moja najlepsza przyjaciółka Raszka.

— Cześć — powiedziała Sally, uśmiechając się do
Raszki. — Miło cię poznać.

— Nawzajem — wymamrotała Raszka, mieszając
w szklance caipirinhę dla dzieci.

Papai, który tego dnia włożył żółtą koszulę, przywi-
tał Sally serdecznym uśmiechem.

— Lola dużo mi o tobie opowiadała — oświadczył.

— Fajnie, że pozwalasz jej towarzyszyć ci w opiece nad
dzieckiem.

Sally rzuciła mi przelotne spojrzenie, a ja kopnęłam
Raszkę w łydkę. Moja przyjaciółka mruknęła coś cicho, ale nic nie powiedziała, a ja próbowałam oczami
przekazać Sally, że nie podzieliłam się z tatą szczegó-
łami.

— Lola jest świetną asystentką — oświadczyła Sally.

— Naprawdę się do tego nadaje. Słyszałam, że niedługo będzie miała młodszego braciszka.

Mama została w domu, ale papai przytaknął
dumnie.

— Mały już się może cieszyć — stwierdziła Sally
i mrugnęła do mnie. Potem przyciągnęła sobie stołek

barowy. Restauracja pękała w szwach, jak zwykle na koncert przyszło wielu Brazylijczyków.

Nasza towarzyszka rozglądała się na wszystkie strony i widziałam, że jest pod wrażeniem

— Zobacz! — zawołała nagle. — Czy to nie mama Fabia?

Obróciłam się we wskazanym przez nią kierunku. Rzeczywiście. W grupie Brazylijek siedziała Daria i śmiejąc się, machała do nas. Sally odmachała jej, a ja się nieco przestraszyłam.

Lękliwym wzrokiem poszukałam Fabia. Czułam przy tym, że Sally i Raszka bacznie mnie obserwują.

— Nie martw się — szepnęła Raszka. — Myślę, że Fabio szybko nie odważy się tu przyjść.

— Nieźle biedaka wzięło — powiedziała Sally. — Jak on na ciebie patrzy w tańcu! To bardzo wymowne.

Oczy Raszki zaiskrzyły.

— On wszystko Loli popsuł!

Sally wzruszyła ramionami.

— Myślę, że to nie takie proste — odparła cicho. — Czasami nie da się obronić przed uczuciami.

Wydałam z siebie głębokie westchnienie. Tu akurat Sally miała rację. Myślałam o swoich uczuciach do Aleksa. Wprawdzie nadal byłam wściekła, ale to nie oznaczało, że mniej go kochałam lub mniej tęskniłam. Nauczyłam się, że złamane serce to termin, który obejmuje wiele uczuć — i w tej chwili nie chciałam rozmyślać o żadnym z nich.

— Mogłybyśmy zmienić temat? — poprosiłam.
Dziewczyny kiwnęły głowami.

Na scenie dwaj muzycy sprawdzali dźwięk, to znaczy nastawiali prawidłowo brzmienie instrumentów i głośników. Po chwili do perkusisty i gitarzysty dołączyła wreszcie Penelopa. Miała na sobie błękitną sukienkę, a na nogach białe sandały na obcasach. Kiedy zaczęła śpiewać, ktoś położył mi nagle rękę na ramieniu. Obróciłam się i przestraszyłam po raz drugi tego wieczoru. Za mną stał Jeff. Najpierw kiwnął głową do Raszki, a potem do mnie. Uśmiechał się. Miło, choć trochę smutno.

— Co słychać, Lolu?

— Wszystko dobrze — wymamrotałam. Ale czułam się tak, jakby moje serce okazało się poduszeczką, w którą ludzie wbijają igły. Najwyraźniej dzisiejszego dnia nie było mi dane zapomnieć o problemach sercowych.

Zagryzłam wargi.

— A co słychać u Aleksa?

— W porządku, jak sądzę. — Jeff westchnął lekko. — Jest ze swoją mamą w południowej Francji, nad morzem. Dzisiaj ma...

Szybko przełykałam ślinę. Wiedziałam oczywiście, jaki to dzień. Urodziny Aleksa. Kończył trzynaście lat.

Dłoń Jeffa na moim ramieniu była bardzo ciepła. Tak samo jak błysk jego oczu.

— Wszystko się jakoś ułoży, Lolu — zapewnił mnie.
Wzruszyłam ramionami i odwróciłam się w stronę
sceny. Śpiewając, Penelopa co kilka minut zerkała na
Jeffa i za każdym razem jej oczy coraz bardziej pro-
mieniały.

Ja i Raszka napchałyśmy sobie usta *pão de queijo*,
kawałeczkami brazylijskiego sera, który smakuje niesamowicie, a może pomaga też trochę na kłopoty ser-
cowe. Sally również spróbowała kilku. Zamówiła caipirinhę ze sprite'em. Widziałam, że Raszka obserwuje
ją kątem oka.

— Czy ta piosenkarka też pochodzi z Brazylii? — zapytała Sally.

Potrząsnęłam głową.

— Penelopa jest mamą Raszki — wyjaśniłam.

— Naprawdę? — Oczy Sally zrobiły się okrągłe jak
piłki. — Ale czad! Gratuluję!

— Dziękuję — odrzekła Raszka. Widać było, że roz-
piera ją duma.

— A to twój tata? — Sally wskazała głową Jeffa, który nie odrywał wzroku od Penelopy.

Raszka potrząsnęła głową.

— Mój tata mieszka w Düsseldorfie — powiedziała.

Kiedy Penelopa zaśpiewała kilka szybszych piose-
nek, wszyscy zaczęliśmy tańczyć. Szeptem zapytałam
Raszkę, jak jej się podoba Sally, ale odpowiedziała wy-
mijająco:

— Przecież prawie jej nie znam.

Jednak nie wyglądała już na tak wściekłą jak wtedy na szkolnym podwórku.

W przerwie Sally przysunęła do siebie wazę z perłami.

— Przynoszą szczęście — wyjaśniłam. Sally uśmiechnęła się i wzięła jedną. W tym momencie zadzwonił telefon komórkowy i jej twarz natychmiast sposępniała.

— Proszę, mamo! — błagała. — Pozwól mi jeszcze trochę zostać. Wyjątkowo. Jestem w restauracji, która należy do taty Loli. Nawet moja nauczycielka tańca tu przyszła... Mamo, proszę! Przynajmniej do wpół do jedenastej. — Potem jej twarz zupełnie spochmurniała. Zamknęła komórkę. — Kurczę. Mama zamawia mi taksówkę. Traktuje mnie jak dziecko. To NIE W PORZĄDKU!

W jej oczach szkliły się łzy i nagle wydała mi się małą dziewczynką. Chwyciła kurtkę i wybiegła. Perła wypadła jej z dłoni i potoczyła po podłodze.

Popatrzyłam na zegarek: nie było nawet wpół do dziesiątej.

— Też uważam, że to nie w porządku — powiedziałam do Raszki. — Przecież Sally ma już piętnaście lat.

— Może jej mama jest taka surowa, bo nie ufa swojej córce — stwierdziła Raszka.

— A może — odwróciłam zdanie Raszki do góry nogami — nie umie jej zaufać, bo jest zbyt surowa. Przecież tak też bywa.

Raszka wzruszyła ramionami.

A mnie drgnęła ręka. W kieszeni spodni miałam komórkę i przypomniały mi się słowa Jeffa, że „wszystko się jakoś ułoży". Może miał rację. Może musiałam temu tylko trochę pomóc. Wyciągnęłam telefon i wysłałam Aleksowi SMS-a: „Wszystkiego najlepszego z okazji urodzin. Tęsknię za Tobą. Twoja Lola".

Kiedy zamknęłam komórkę, serce waliło mi jak szalone. Nadzieja. To też uczucie, które łączy się ze złamanym sercem.

Ale jedynym wydarzeniem, którego doczekaliśmy się tego wieczoru, było to, że Jeff i Penelopa się pocałowali — po koncercie, na środku sali i w same usta. Wyglądało to na pierwszy pocałunek i to taki, na który Jeff czekał od dawna. Potem spojrzeli w naszą stronę, a raczej w stronę Raszki. Penelopa się uśmiechnęła, a Jeff wyglądał na trochę speszonego.

Szturchnęłam Raszkę w żebra.

— Co sądzisz? — zapytałam.

Raszka gapiła się na swoje tenisówki.

— Nie wiem.

Było jasne, że teraz ona chce zmienić temat, ale tym razem nie odpuściłam.

— Co właściwie masz przeciwko Jeffowi? — zapytałam.

— Nic — odparła, nie podnosząc wzroku.

— To czemu się nie cieszysz?

Raszka spojrzała na mnie. Skrzywiła się.

— Ty tego nie rozumiesz.

— To mi wyjaśnij.

Nagle moja przyjaciółka wyglądała jak mała dziewczynka.

— Boję się — wymamrotała.

— Czego?

— Że Penelopa będzie smutna.

Co? Patrzyłam na Penelopę i Jeffa, którzy widzieli tylko siebie. Jeff wyglądał, jakby był u celu swoich marzeń, a twarz Penelopy promieniała.

— Nie widzisz, jak szczęśliwa jest twoja mama?

— Zawsze taka była na początku. — Głos Raszki brzmiał ciszej niż szept. — A potem... — zagryzła dolną wargę — ...wszystko się psuło. Nie tylko z moim tatą. Ale też z Gilbertem. Zapomniałaś już?

Teraz ja zamilkłam. Nie, nie zapomniałam. Gilberto był tatą Glorii i grał Króla Lwa w teatrze w porcie. Ale dla Penelopy odgrywał inny teatr. Zachowywał się, jakby mama Raszki była jego królową, po czym na jarmarku przyłapaliśmy go, jak romansował z kimś innym. Znowu miałam przed oczami twarz Penelopy, kiedy jej o tym opowiadałyśmy. Jednak o tacie Glorii niewiele wtedy wiedziałyśmy. A Jeffa znałyśmy już tak długo. Chwyciłam dłoń Raszki i mocno ją ścisnęłam.

– Tym razem wszystko będzie dobrze – zapewniałam ją. – Z pewnością. To przecież Jeff. Tata...

Urwałam. Teraz Raszka ścisnęła moją dłoń, a w moim gardle utworzyła się wielka klucha. Penelopa i Jeff wreszcie się odnaleźli. A ja i Alex... Czy ostatecznie się oddaliliśmy?

Kiedy koncert się skończył, otrzymałam odpowiedź na mojego SMS-a.

„Dzięki. A.”.

Tylko tyle.

29.

ZOSTAJĘ PRZYWÓDCZYNIĄ BANDY, A Z MAMY ROBI SIĘ KACZKA I MORS W JEDNYM

Dzień po koncercie zdjęłam naszyjnik z wisiorkiem w kształcie lwa, który dostałam od Aleksa. Przez chwilę zastanawiałam się nawet, czy go nie wyrzucić. Ale potem schowałam go razem z listami i moim telefonem do pudełka po butach. Namalowałam na pokrywce czarną flagę ze złamanym sercem i wsunęłam karton pod łóżko.

Nauczyłam się jeszcze czegoś: że o złamanym sercu nie da się tak po prostu zapomnieć. Ale można próbować porzucić marzenia, które i tak się nie spełnią. A w moim przypadku szkoła skutecznie odwracała uwagę. To, że nie chodziłam z przyjaciółmi do jednej klasy, okazało się wcale nie najgorsze. Pan Demmon miał rację. Widzieliśmy się podczas przerw, a przez to, że nie byliśmy razem, mieliśmy sobie dwa razy więcej do opowiedzenia. Poza tym w mojej klasie nie było już tak źle jak na początku.

Annie Lizie i Dalili schodziłam z drogi, tak jak i one mnie. Za to od dnia moich urodzin wyjątkowo dobrze rozumiałam się z Gusem. Relacje z innymi dziewczynami też się poprawiły, a z Sayuri naprawdę się zaprzyjaźniłam. Fajnie było siedzieć z nią w ławce — także dlatego, że mogłyśmy sobie wzajemnie pomagać. Sayuri była dobra we wszystkim prócz matmy, a ja akurat coraz lepiej radziłam sobie z tym przedmiotem. Podobało mi się w nim to, że dla każdego problemu istniało tylko jedno prawidłowe rozwiązanie. Przez to matematyka jest właściwie o wiele łatwiejsza niż życie, w którym człowiekowi od przeróżnych ewentualności aż się w głowie kręci.

Kiedy wróciłam do domu z czwórką plus z matematyki, mama i papai nie mogli w to uwierzyć. U durnego pana Koppenrata to by się nie zdarzyło nawet w mojej wyobraźni. Babcia mawiała: „No tak, źli nauczyciele czynią złych uczniów, a dobrzy nauczyciele dobrych uczniów". Miała rację, bo Ryba Rozdymkokształtna okazała się mistrzynią w wyjaśnianiu.

Tylko na lekcji francuskiego puszczałam wszystko mimo uszu — przede wszystkim wtedy, kiedy mówiliśmy o Paryżu i Marcel się chwalił, że jego tata urodził się w tym mieście.

Pani Kronberg nadal była surowa i z pewnością nie zostanie moją ulubioną nauczycielką. Ale od historii z wszami odnosiła się do mnie znacznie lepiej.

225

Na niemieckim pisaliśmy opowiadania, a na muzyce opracowywaliśmy referaty. Musieliśmy wybrać sobie jednego muzyka. Zdecydowałam się na Michaela Jacksona. Miał wprawdzie smutne życie i smutną śmierć, ale jego utwory były dla mnie magiczne i nikt inny nie tańczył tak jak on.

Pod koniec listopada nasza grupa taneczna podzieliła się na dwie bandy. Jedna miała ćwiczyć z panem Demmonem, a druga z Darią.

Najpierw ustaliliśmy, kto będzie im przewodził. Sally została wybrana przywódczynią grupy pana Demmona, co oczywiście nikogo nie zaskoczyło. Ale to, że podczas głosowania na przywódcę drugiej bandy ja zdobyłam najwięcej głosów, spowodowało, że głowa zaswędziała mnie jak oszalała – i to nie z powodu wszy, lecz dumy.

Miałyśmy teraz na zmianę wybierać członków swojej grupy.

Jako pierwszą wybrałam Glorię. Potem była kolej Sally. I tak to się właśnie odbywało. Jakaś część mnie pragnęła, by Sally wybrała Fabia, ale ona tego nie zrobiła. Fabio zaliczał się do najlepszych, a jego mocną stroną były bez wątpienia tańce brazylijskie. Ale miałam wrażenie, że to niejedyny powód, dla którego Sally nie wywołała jego nazwiska. Ja z kolei parę razy miałam je na końcu języka, ale się powstrzymywałam.

Za każdym razem kiedy na niego zerkałam, odwracał wzrok, a gdy on patrzył na mnie, ja kierowałam spojrzenie w inną stronę.

Kiedy zostało tylko pięć osób, nasze spojrzenia się spotkały i nagle jego imię wymknęło mi się z ust:

— Fabio.

Chwilę się zawahał, ale ostatecznie wstał i przeszedł na moją stronę.

— Nie musiałaś tego robić — powiedział po zakończeniu zajęć.

Większość pozostałych już poszła, nawet Daria. Tylko Sally i Gloria spoglądały w naszą stronę.

— Wiem — odpowiedziałam. — Ale po pierwsze, to dzięki tobie w ogóle tu jestem. A po drugie, umiesz świetnie tańczyć. — Trzeci powód przemilczałam.

Fabio gniótł płatek ucha. A potem nagle powiedział:

— Jestem idiotą! Przykro mi z powodu tego, co się stało przed twoim domem.

— Nie jesteś idiotą — odparłam, czując, że mówię szczerze. — Rzecz w tym, że ja chcę się z tobą przyjaźnić. Nic więcej. Ale też nic mniej. Czy tak będzie w porządku? — To był mój trzeci powód.

Fabio gapił się na mnie przez chwilę. Nagle jego oczy się rozpromieniły.

— Jasne! — wykrzyknął. — Jak najbardziej w porządku.

Odetchnęłam. I po raz pierwszy od długiego czasu czułam, że właściwie rozstrzygnęłam ważną sprawę. Może Fabio był współwinny temu, że straciłam Aleksa. Ale przy tamtym pocałunku nie miał nic złego na myśli, podczas gdy Alex naprawdę ranił mnie swoim zachowaniem. Nie chciałam stracić aż dwóch ważnych dla mnie osób.

Na początku grudnia zrobiliśmy pierwszą prawdziwą próbę. Nasze grupy ustawiły się naprzeciwko siebie jak dwa trójkąty, których wierzchołkami byłyśmy ja i Sally. Na zmianę pokazywaliśmy, na co nas stać i jacy jesteśmy świetni. Kiedy jedna grupa tańczyła, druga zastygała w bezruchu jak podczas zabawy w słup soli w koziej szkole. Za każdym razem to przywódczyni decydowała, jakie kroki będzie tańczyć jej grupa.

— Jak tak dalej pójdzie — stwierdziła Sally — możesz się starać o przyjęcie do grupy profesjonalistów.

To akurat w ogóle nie leżało w moich zamiarach. Tańczyłam, bo sprawiało mi to przyjemność, i cieszyłam się na przedstawienie na koniec półrocza. Po koncercie zespołu szkolnego przyjdzie nasza kolej. Stanąć na scenie naszej szkoły — to mi zupełnie wystarczało.

W domu też ćwiczyłam. Przyniosłam do swojego pokoju lustro z sypialni i kiedy uczyłam się przed nim kroków, zapominałam o całym otaczającym mnie świecie.

W drugim tygodniu grudnia pokazałam mamie taniec Jemajà. To również bogini candomblé, Brazylijczycy nazywają ją matką wszystkich bogów. Ojczyzną Jemajà jest morze. Jej kolory to biały i niebieski. Kiedy w Rio obchodzi się sylwestra, na morze wypływają setki statków z niebieskimi i białymi kwiatami. Opo-

wiadała nam o tym mama Fabia i to wyobrażenie kwiatów na morzu wydało mi się przepiękne.

Mama uznała taniec dla Jemajà za cudowny. Przyglądała mu się, leżąc na moim łóżku. Już od dawna nie wyglądała jak ktoś, kto połknął piłkę do nogi. Teraz podczas chodzenia kiwała się jak kaczka, a z boku wyglądała jak mors. Dlatego nie musiała już pracować w szpitalu. Zawsze myślałam, że tylko zwierzęta są pod ochroną, ale najwyraźniej ciężarne matki również. Kiedy wyglądają już jak morsy, mogą zostać w domu, a mimo to otrzymują pensję. Następnym razem mama pójdzie do szpitala nad Łabą po to, aby urodzić tam mojego małego braciszka.

Obecnie mama była w trzydziestym czwartym tygodniu ciąży, a mój brat mierzył czterdzieści sześć centymetrów. Prawdopodobnie miał już nawet prawdziwego fistaszka.

Tylko imienia wciąż dla niego nie wybraliśmy.

Najnowszą propozycją mamy był Linus. Papai wahał się między Tiego i Diego. Dziadkowi podobał się Willy, bo tak się nazywał jego ulubiony polityk, a babcia przygotowała listę imion sławnych bohaterów książek dla dzieci, ale kłopot polegał na tym, że wszystkimi zachwycała się równie mocno. Gdyby to od niej zależało, mój brat nazywałby się Kalle Lasse Mio Emil Nils Paluszek Kuba Guzik. Ale na szczęście ani babcia, ani ciotka Lisbeth nie miały władzy w kwestii imion. Ciotce podobało się imię Karlsson, bo akurat w przedszkolu czytali *Karlssona z Dachu*.

Ja nie miałam jeszcze żadnego pomysłu. Czułam, że pojawi się on dopiero wtedy, kiedy zobaczę brata. I to na zewnątrz.

Od wewnątrz już teraz można było coś zobaczyć – przede wszystkim piąstki i stópki. Gdyby kierować się tym, jak szalał w brzuchu mamy, należałoby go nazwać Kliczko lub Pelé.

– Twój brat powoli przybiera właściwe położenie – wyjaśnił mi papai. – Schodzi w dół, żeby być gotowym do startu, kiedy za cztery tygodnie wszystko się zacznie. Wkrótce zrobi mu się ciasno w brzuchu mamy.

W naszym mieszkaniu też zrobiło się ciasno. W sypialni stała teraz kołyska i stary przewijak ciotki Lisbeth, a ja musiałam w swoim pokoju zrobić miejsce na drugą szafę, co wcale mi nie pasowało! Wybraliśmy kilka śpiochów i kaftaników po ciotce Lisbeth, ale większość rzeczy trzeba będzie kupić: fotelik samochodowy, wózek, butelki, smoczki, pieluchy – i całą masę zimowych ubrań. Na dworze były trzy stopnie poniżej zera i chodniki pokrywał lód. Kiedy mama człapała w stronę auta, wyglądała jak kaczka i mors w jednym, w dodatku na torze łyżwiarskim, a papai ciągle się martwił, że mama się pośliźnie i pogrzebie pod sobą Tiego-Diego.

Ja z kolei martwiłam się, że będę musiała pogrzebać swoje życzenia gwiazdkowe. Chciałam wreszcie dostać nowe łóżko i nowe biurko, ale papai powiedział, że Tiego-Diego ma pierwszeństwo, co sprawiło, że znowu poczułam zazdrość.

— Może Luiza odstąpi wam parę rzeczy po Antonie — zasugerowała Sally, kiedy spotkałyśmy się na tańcach w trzecim tygodniu grudnia. — Tak czy owak miałam cię zapytać, czy chciałabyś towarzyszyć mi w sobotę. Luiza musi jechać do Bremy, bo jakiś pisarz ma tam dostać nagrodę, i wróci dopiero późnym wieczorem. Powiedziała, że mogę u niej przenocować i że ty też jesteś zaproszona. Co o tym sądzisz?

Wahałam się. Jedna część mnie była sceptyczna, a druga chciała się sprawdzić — i ta druga wygrała.

— Muszę zapytać rodziców — odpowiedziałam. — Papai już cię zna i jeśli oni nie będą mieli nic przeciwko, pójdę z tobą.

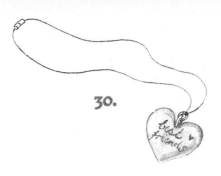

TELEFON DO SALLY
I KARTKA DLA MNIE

— Masz szczęście, Lolu — powiedziała Luiza, kiedy przyszłyśmy z Sally na *babysitting*. Sally od razu zagadnęła ją na temat starych rzeczy Antona. Moi rodzice nie mieli nic przeciwko temu, żebym przenocowała tam razem z Sally. Mama znowu nie czuła się dobrze i chciała iść wcześniej do łóżka. Dziadek z babcią, ciotką Lisbeth i misiem polarnym Krwawym Knutem pojechali na kilka dni nad Morze Północne. Lisbeth była niezłomnie przekonana, że Knut spotka tam kilku krewnych, a przy tym zimnie to rzeczywiście niewykluczone, jak stwierdziła babcia, puszczając do mnie oko. Papai i Penelopa zostali na posterunku w restauracji, a Raszka i Sol urządzili sobie wieczór filmowy.

— Przedwczoraj robiłam porządki — kontynuowała Luiza. — Już się zastanawiałam, komu mogłabym to wszystko podarować, a tu trafia się twój brat! Pudło stoi w korytarzu, weź sobie, co tylko chcesz.

— A Anton nie ma nic przeciwko? — zapytałam. Chłopczyk siedział u mnie na kolanach i bawił się moim nowym naszyjnikiem — srebrnym serduszkiem, na którym wygrawerowane były słowa „Best friends". Raszka podarowała mi go dwa dni temu. „Zaległy prezent na urodziny" — powiedziała, a ja z radości omal się nie rozbeczałam.

— Z pewnością nie — zapewniła mnie Luiza. — Przecież cię lubi. I może kiedyś przedstawisz mu swojego młodszego brata.

Przytaknęłam. Była sobota, osiemnasty grudnia. Za sześć dni Boże Narodzenie, ale w tym roku odliczałam dni do narodzin. Miały nastąpić dwudziestego drugiego stycznia. Tego dnia miałam zostać starszą siostrą.

— Nie nastawiaj się tak bardzo na tę datę — powiedziała mama. — To tylko orientacyjny termin. Twój młodszy brat może się urodzić tydzień później lub tydzień wcześniej.

— No to lepiej wcześniej — odparłam. Już nie mogłam się doczekać.

Luiza popatrzyła na zegarek. Było wpół do szóstej.

— Muszę iść, dziewczyny — oznajmiła. — O siódmej zaczyna się wręczanie nagród. Potem będzie jeszcze przyjęcie, ale spróbuję wyjść przed północą. Myślę, że najpóźniej o pierwszej będę z powrotem. Dacie sobie radę?

— Jasne — potwierdziłyśmy jednogłośnie.

— BWA — powiedział Anton, wierzgając nóżkami.
Kiedy Luiza wyszła, Anton pokazał nam, czego nauczył się w ostatnich tygodniach. W mgnieniu oka
przemierzył całe mieszkanie. Zaproponowałam Sally,
żebyśmy zabawili się w wyścigi, w których ona będzie
sędzią. Pasek od szlafroka Luizy oznaczał metę. Poło-
żyłyśmy go w przedpokoju przed drzwiami, za nim
stanęła Sally z butelką „Mr. Propera", a ja i Anton za-
jęliśmy pozycję na drugim końcu korytarza.
Sally podniosła ręce.
— Na miejsca! Gotowi! Start!
Anton ruszył na czworakach niczym mistrz świata
— i oczywiście nim został, bo dałam mu fory. Tak się
robi z małymi dziećmi i tak będę robić z moim młodszym bratem, kiedy już nauczy się raczkować.

Nagrodą było czekające w kuchni jedzenie. Luiza
ugotowała kluski z sosem pomidorowym, które Anton mógł jeść palcami. Ale on jadł także całą buzią.
Po opróżnieniu talerza wyglądał tak, że mógłby za-
grać zakrwawione zwłoki w thrillerze. Jego twarz od

góry do dołu pokrywał sos pomidorowy, a w dziurce nosa tkwiła kluska.

Kiedy Sally robiła mu zdjęcie swoim aparatem cyfrowym, jej telefon odezwał się po raz pierwszy. Był to króciutki sygnał, jak przy SMS-ie. Sally otworzyła komórkę, przeczytała wiadomość, marszcząc czoło, po czym rzuciła mi krótkie spojrzenie. Potem energicznie zdmuchnęła sobie z czoła kosmyk włosów i zamknęła telefon.

— Kto to był? — zapytałam, nie mogąc powstrzymać ciekawości.

— Mój chłopak — odparła. Jednak nie wyglądała na szczęśliwą, a ja nie miałam odwagi dalej pytać.

Sally puściła wodę do wanny i pozwoliła mi wykąpać Antona. Potrafił już siedzieć. Piekielnie uważałam, żeby nie naleciało za dużo wody, ale on w ogóle się nie bał i zafundował mi niezły prysznic. Tylko myciem włosów musiała zająć się Sally, a kiedy szampon dostał mu się do oczu, chłopiec zaczął krzyczeć jak opętany.

Kiedy Sally owijała go w ręcznik, dźwięk jej telefonu rozległ się po raz drugi. Tym razem trochę dłuższy.

— Potrzymaj go. — Sally wcisnęła mi Antona w ramiona. Jego wilgotne czarne włoski lśniły i kręciły się tak jak u taty po prysznicu.

Pachniał tak przyjemnie. Szamponem, pianą z kąpieli i bobasem. Policzki, okrągłe jak małe jabłuszka, miał czerwone od szaleństw w wannie. Jednak ja i tak ciągle zezowałam do przedpokoju, do którego udała się Sally.

— Przykro mi — mówiła cicho. — Chciałabym, ale...

— Urwała, a kiedy znowu się odezwała, głos jej się łamał. — Nie robię ceregieli. I nie zostawiam cię ciągle na lodzie. Nic na to nie poradzę, że nie mogę iść na imprezę do Lucasa...

W tej chwili najwidoczniej rozmowa została przerwana. Kiedy Sally wróciła do łazienki, jej oczy błyszczały od łez. Nabrała głęboko powietrza.

— Gotowy do łóżka, mały?

Pół godziny później Anton leżał już w swoim łóżeczku — na plecach — i spał. Najwidoczniej nie miał problemów z zasypianiem. Nakręciłyśmy tylko zegar pozytywkę, dałyśmy mu do ręki butelkę „Mr. Propera", a melodia *Księżyc już świeci* ukołysała go do snu.

Na zewnątrz też już świecił księżyc. Było chwilę po ósmej. Usadowiłyśmy się z Sally przed telewizorem, a ona skakała po kanałach, aż wreszcie wybrała jakiś film. Opowiadał o dziewczynie, która chciała zostać sławną tancerką, ale potem zmarła jej mama i musiała zamieszkać z ojcem w miejscu, gdzie mieszkali sami chłopcy o ciemnej skórze, którzy potrafili świetnie tańczyć.

Sally cały czas wzdychała. Wiedziałam, że to nie z powodu filmu. Patrzyła w okno albo na komórkę, która już długo nie dzwoniła.

— Pokłóciłaś się z chłopakiem? — zapytałam w końcu.
Sally przytaknęła.

— Jest zły, bo tak rzadko mogę z nim gdzieś wyjść — wyjaśniła. — Bo moja cholerna mama na nic mi nie pozwala. Mój chłopak ma dzisiaj urodziny. Wszyscy świętują, a co ja robię? Siedzę tu i pilnuję dzieciaków. Wzdrygnęłam się, a Sally zasłoniła sobie usta dłonią. Potem położyła mi rękę na ramieniu.

— Przepraszam, Lolu. — Rzeczywiście wyglądała na poruszoną. — Nie chciałam tego powiedzieć. Nie jesteś dzieciakiem. Jesteś jak najbardziej w porządku. Bardzo cię lubię, i Antona oczywiście też. Tylko że akurat dzisiaj wolałabym być gdzie indziej. — Teraz łzy naprawdę napłynęły jej do oczu. — Mój chłopak strasznie na mnie naciska, rozumiesz? Uważa, że skoro nawet nie spędzam z nim jego urodzin, to równie dobrze możemy od razu zerwać.

— A gdybyś później uczciła jego urodziny? — zasugerowałam, nakręcając na palec kosmyk włosów. — Mogłabyś zrobić mu niespodziankę. Zaprosić go na kolację. Albo do kina. Moglibyście pójść gdzieś po południu. Na to twoja mama na pewno by się zgodziła.

Teraz Sally popatrzyła na mnie, jakbym naprawdę była małym dzieckiem.

— Mój chłopak kończy siedemnaście lat — powiedziała. — Myślisz, że popołudniowy wypad powali go na kolana?

Wzruszyłam ramionami. Pomyślałam, że nie. W tym wieku robi się pewnie inne rzeczy. W każdym razie, jeśli się jest kimś takim jak chłopak Sally. Przypomniała mi się puszka piwa, którą trzymał w ręce. Przed oczami stanęło mi też to, jak poklepał Sally po pupie. I zapach alkoholu, kiedy wracałyśmy do domu taksówką.

W telewizji blondynka całowała się z ciemnoskórym chłopakiem. Sally chwyciła pilota i przełączyła program na film przyrodniczy o żółwiach.

Skrzyżowała ramiona na piersi, a ja nie wiedziałam, co powinnam dodać. Gdybym miała starszą siostrę, może coś przyszłoby mi do głowy. Ale jej nie miałam. Dlatego powstrzymałam się i nie powiedziałam, co sądzę o zachowaniu jej chłopaka. Dla mnie to był zwykły szantaż.

W napięciu zastanawiałam się, jak mogę rozweselić Sally. Ale nic mi nie przychodziło do głowy. I tak gapiłyśmy się na żółwie w telewizji, na zmianę zaglądałyśmy do Antona, który spał błogo na plecach, i milczałyśmy.

Sally co chwila spoglądała to na komórkę, to na zegarek. I robiła się coraz bardziej niespokojna. Za piętnaście dziewiąta odłożyła telefon i lekko dotknęła mojego ramienia. Mrugała powiekami, a na jej szyi pojawiły się czerwone plamy.

– Lola... pozwolisz... pozwolisz mi na krótko wyjść? Złożę mu tylko życzenia. I zaraz wrócę, obiecuję.

Przełknęłam ślinę i tym razem było odwrotnie niż ostatnio. Myślałam „tak", a powiedziałam:

– Nie.

Przestraszyłam się sama siebie, ale wiedziałam, że powiedziałam to, co należało. Sally nie spytała po raz drugi. Przełączyła znowu program o żółwiach i wylądowałyśmy na wcześniejszym filmie. Bohaterka siedziała z koleżanką przy barze w dyskotece. Parkiet był kompletnie wypełniony, a koleżanka z wściekłością patrzyła na chłopaka, który w tańcu łapał inną dziewczynę za pośladki.

– Zajrzysz jeszcze do Antona? – zapytała Sally. Uśmiechała się. Wyglądała na nieco spiętą, a ja od razu rzuciłam się do jego pokoju. Anton cicho wzdychał przez sen, jego twarz wyglądała na trochę spoconą. Odgarnęłam mu loczki z czoła i lekko powachlowałam książeczką. „BWA" – usłyszałam. Może śnił mu się „Mr. Proper".

Dłuższą chwilę stałam przy łóżeczku i zastanawiałam się, czym by tu sprawić Sally radość.

Po powrocie do salonu stało się jasne, że właśnie mi się to udało.

Sally nie było. Pokój dziecięcy był na drugim końcu mieszkania, a salon znajdował się naprzeciwko drzwi wejściowych. Sally mnie oszukała.

Zwiała w dość dużym pośpiechu. Jej kurtka nadal wisiała w przedpokoju. A na stoliku kawowym leżała pośpiesznie skreślona kartka.

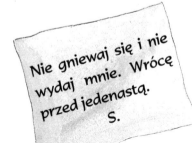

Nie gniewaj się i nie wydaj mnie. Wrócę przed jedenastą.
S.

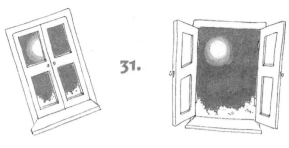

ANTON SZCZEKA,

A JA SIĘ BOJĘ

To się stało, kiedy siedziałam w przedpokoju przed pokojem Antona. Dochodziło już wpół do dwunastej, a Sally nie było od prawie dwóch i pół godziny. Przez pierwsze dziesięć minut czułam niemal wyłącznie wściekłość. Tak ogromną, że chciałam od razu zadzwonić do Sally i poinformować ją, że jeśli natychmiast nie wróci, wszystko powiem Luizie. Ale nie mogłam tego zrobić, bo nie miałam numeru żadnej z nich. A więc nie pozostało mi nic innego, jak tylko czekać. I dlatego dobrałam się do pudła z dziecięcymi rzeczami.

Odłożyłam już na bok trzy małe czapeczki z kaczuszkami, dwie pary rękawiczek z czerwonej wełny i śpiochy z nadrukowanymi samochodami. Drzwi do pokoju Antona zostawiłam otwarte, aby od razu usłyszeć, gdyby coś się działo. Ale to, co się wydarzyło, usłyszałabym prawdopodobnie nawet przez zamknięte drzwi. Wycią-

gałam właśnie maciupeńki T-shirt z Supermanem, kiedy dobiegł mnie dziwny dźwięk. Brzmiał jak szczekanie, twardo i metalicznie. Rzuciłam się do pokoju Antona. Chłopiec leżał w łóżeczku z szeroko otwartymi oczami. To twarde szczekanie było kaszlem, ale z całą pewnością nie normalnym. Brzmiało strasznie. Wzięłam Antona na ręce i zaczęłam chodzić po pokoju w tę i z powrotem. Poklepywałam go po plecach, powtarzając jak papuga: „Wszystko będzie dobrze". Ale nie było. Anton szczekał dalej i wyglądał na przynajmniej tak samo przestraszonego jak ja. Poszłam z nim do salonu i wyciągnęłam z regału Luizy książkę o dzieciach. Gorączkowo przebiegłam wzrokiem spis treści. Choroby uporządkowano alfabetycznie. Szczekania nie było. Ale na dziewięćdziesiątej ósmej stronie znalazłam rozdział „Kaszel".

Myślę, że w całym moim życiu nie czytałam tak szybko. Rozdział o kaszlu liczył kilka stron, najwyraźniej istniało wiele jego odmian. Aż w końcu w oczy rzuciło mi się słowo „szczekający". Ten akapit nosił tytuł „Podgłośniowe zapalenie krtani".

Anton szczekał dalej, podczas gdy ja, tuląc go w ramionach, przelatywałam wzrokiem po tekście.

„Choroba rozpoczyna się twardym szczekającym kaszlem, często połączonym z dusznościami przy wdechu" — które Anton właśnie miał! „Kaszel najczęściej objawia się we śnie, między jedenastą a pierwszą w nocy... Przypadki choroby częściej występują zimą... Dzieci czują lęk przed uduszeniem, dlatego trzeba je natychmiast wziąć na ręce i uspokoić". Głaskałam Antona po pleckach, podczas gdy on na zmianę dusił się, kasłał i płakał. „Kiedy sytuacja jest już rozpoznana, należy kontrolować stopień duszności i po mniej więcej dziesięciu minutach...".  Ile czasu upłynęło? Dwie, trzy minuty? A może pięć? „Jeśli z dzieckiem są dwie osoby, jedna przynosi...". Lola, zapomnij, nie ma tu drugiej osoby. Jesteś sama! „Również odkręcony prysznic może służyć za inhalator i wyciszyć kaszel. Jeśli to nie pomoże...".

Zamknęłam książkę. Musiało pomóc. Po prostu musiało. Pognałam ze szczekającym, duszącym się Antonem do łazienki, odkręciłam gorącą wodę, zamknęłam drzwi i ustawiłam Antona twarzą do wanny. Wilgotna para wypełniła łazienkę.

— Spokojnie — szeptałam, głaszcząc go po plecach. — Tylko spokojnie, Antosiu. Dasz radę.

I, o dziwo, miałam rację.

Chłopczyk się uspokoił. Szczekanie ustało, a on oddychał coraz spokojniej, nie dusząc się już. Przestał również płakać. Za to ja się rozpłakałam.

Przycisnęłam go do piersi, czując wdzięczność, a jednocześnie rozpacz. Kiedy już się upewniłam, że atak kaszlu naprawdę minął, zakręciłam kurek. Potem poszłam do pokoju Antona i otworzyłam okno. Szczelnie opatuliłam chłopca kołdrą i przez chwilę stałam tak z nim na rękach. Na niebie świecił księżyc, a powietrze było przyjemnie chłodne. Anton znowu oddychał spokojnie. Ssał kciuk i wielkimi oczami patrzył na księżyc. Ale jego ciało było bardzo gorące, a oczy błyszczały. Wiedziałam, że potrzebuję pomocy.

Zadzwoniłam do domu, ale nikt nie odbierał. Zatelefonowałam do „Perły Południa", ale było zajęte. Spróbowałam dodzwonić się do Raszki – także cisza. Może była jeszcze u Sola, a jego numeru nie znałam.

I wtedy przyszedł mi do głowy Jeff. Miał dwóch synów, a więc i doświadczenie. Będzie wiedział, co trzeba zrobić.

Nadal trzymałam Antona na rękach. Wreszcie ktoś podniósł słuchawkę. Ale to nie był Jeff.

Głos, który się zgłosił, brzmiał inaczej.

– Kto mówi? – zapytałam. Ze zdenerwowania mój głos stał się piskliwy, a jednocześnie próbowałam mówić cicho, żeby nie zdenerwować Antona.

– Tu Alex Brücke – usłyszałam po drugiej stronie.

– A z kim rozmawiam?

– Z Lolą – odpowiedziałam i odłożyłam słuchawkę.

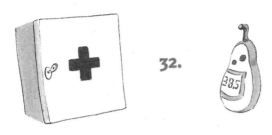

PODWÓJNA POMOC
I KRZYK

Ze strachu. Odłożyłam słuchawkę ze zwykłego strachu. A potem stałam i gapiłam się na telefon. Alex był ostatnią osobą, którą bym się spodziewała w tej chwili usłyszeć. Nawet o nim nie pomyślałam. Bo i skąd? Od kiedy był w Hamburgu? I dlaczego mnie to w ogóle interesowało? Anton nadal był spokojny i gorący. Potrzebowałam pomocy. Czy powinnam wezwać karetkę? Policję? Straż pożarną?

Nagle telefon zadzwonił.

— Halo? — pisnęłam. — Mieszkanie Luizy...

— Lola?

Wzdrygnęłam się.

— Alex? Skąd masz ten numer?

— Wyświetlił się — odpowiedział Alex. — Kiedy zadzwoniłaś. Po prostu wcisnąłem oddzwanianie. Gdzie jesteś? Ja... — Zawahał się. — Przyjechałem do Hamburga dzisiejszego popołudnia i cały wieczór próbowałem się dodzwonić do ciebie do domu. Ale nikogo nie było. Komórki też nie odbierałaś. Lolu, chciałem cię przeprosić, ja...

Anton na moich rękach zaczął cichutko kwilić, a jego ciało wciąż było rozpalone.

— Muszę porozmawiać z Jeffem — przerwałam. — Jest w domu?

— Tak. — W głosie Aleksa zabrzmiało zdziwienie. — Ale dlaczego...?

— Daj mi go — rozkazałam.

Kiedy Jeff podszedł do telefonu, zaczęłam szlochać.

— Potrzebuję twojej pomocy — wydusiłam z siebie.

— Jestem na... na ulicy... — W głowie mi się kręciło. — Deichstrasse 12. U Luizy... Luizy Hoffmann. Proszę, przyjedź natychmiast.

Jeff nie zadawał pytań. Powiedział tylko: „Już jadę" — i po kilku minutach usłyszałam dzwonek do drzwi.

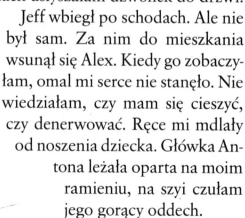

Jeff wbiegł po schodach. Ale nie był sam. Za nim do mieszkania wsunął się Alex. Kiedy go zobaczyłam, omal mi serce nie stanęło. Nie wiedziałam, czy mam się cieszyć, czy denerwować. Ręce mi mdlały od noszenia dziecka. Główka Antona leżała oparta na moim ramieniu, na szyi czułam jego gorący oddech.

Jeff i Alex spojrzeli najpierw na mnie, a potem na Antona. Chłopiec znowu zaczął płakać. Może z powodu choroby. A może przestraszył się tych dwóch obcych osób. Mocno wtulił się w moje ramiona. Alex zrobił krok w moją stronę, ale ja zwróciłam się do Jeffa. Opowiedziałam mu, co się wydarzyło, a on zachował się cudownie. Był spokojny i powiedział, że postąpiłam prawidłowo.

– To dobry znak, że kaszel ustał – zapewniał mnie.

– Alex też przechodził w dzieciństwie podgłośniowe zapalenie krtani. To naprawdę może napędzić porządnego stracha.

Przytaknęłam. O tak. Zgadza się. Potem Jeff dotknął czoła Antona. Chłopczyk odwrócił głowę i jeszcze mocniej się do mnie przytulił.

– Ma gorączkę – stwierdził Jeff. – Musimy zmierzyć, jak wysoką. Wiesz może, gdzie jest termometr?

Potrząsnęłam głową. Może Sally by to wiedziała. Ale jej nie było. Jeff rozejrzał się po mieszkaniu. Potem poszedł do łazienki i za chwilę wrócił z białą metalową skrzynką. Na przykrywce widniał narysowany czerwony krzyż, a w środku znalazł się termometr. Na szczęście nie taki, który trzeba wkładać do pupy, lecz taki, jaki mieliśmy w domu. Do ucha.

– Pomożesz mi? – zapytał Jeff, bo Anton nie pozwalał mu się dotknąć. Kiwnęłam głową.

Poszliśmy do pokoju dziecięcego, położyliśmy go na przewijaku, a ja mocno go przytrzymałam. Kiedy

Jeff wkładał chłopczykowi termometr do ucha, mówiłam do niego uspokajająco, ale on mimo to płakał.

— Niedługo wróci mama — zapewniałam. — Wkrótce wszystko będzie dobrze.

Alex stał obok mnie. Położył mi rękę na ramieniu, ale ja prawie tego nie dostrzegłam.

Termometr pokazywał trzydzieści osiem stopni i pięć kresek.

— Nie jest tak źle — oznajmił Jeff, kiedy znowu wzięłam Antona na ręce. — Zrobimy mu kilka okładów pod łydki i o ile nie zacznie znowu kasłać, wszystko będzie w porządku. Czy jego mama mówiła, kiedy wróci?

— Najpóźniej o pierwszej — odpowiedziałam. Minęła północ. Sally spóźniała się już przynajmniej półtorej godziny.

Siedziałam z Antonem w fotelu bujanym, podczas gdy Jeff przygotowywał w łazience letnie okłady z dwóch pieluch tetrowych. Ułożył je pod kolanami dziecka, a Alex napełnił herbatą butelkę. Kiedy podałam ją Antonowi, od razu zaczął pić, patrząc na mnie swymi czarnymi oczami, które nadal lśniły od gorączki. Na jego długich rzęsach połyskiwały łzy, ale był spokojny.

— Ufa ci — szepnął Alex. On też przyglądał mi się swoimi zielonymi oczami i zabrzmiało to tak, jakby mówił o sobie.

Nic nie odpowiedziałam. Ale kiwnęłam głową i się uśmiechnęłam.

— Twój młodszy brat będzie się cieszył — stwierdził Alex. — Że cię ma.

Nagle przypomniał mi się Pascal.

— A gdzie właściwie jest twój młodszy brat? — spytałam cicho. — Chyba nie sam w domu?

Alex potrząsnął głową.

— Został w Paryżu. Ja chciałem przerwę świąteczną spędzić w Hamburgu. U taty. — Alex pociągnął za sznurowadło tenisówek. — I z tobą. — Spoglądał na mnie z dołu. — Oczywiście jeśli jeszcze chcesz.

Nie zdołałam mu odpowiedzieć. Nie zdołałam nawet zastanowić się, dlaczego nagle zmienił zdanie.

Jeff wyszedł właśnie do przedpokoju, aby zadzwonić do Penelopy. Właściwie chciał ją odebrać po pracy z „Perły Południa". Ale nie zdążył nic powiedzieć, bo nagle rozległ się przeraźliwy krzyk.

Anton wzdrygnął się i zaczął płakać. Alex wstał, a z korytarza dobiegł mnie zdyszany głos Luizy:

— Kim pan jest? Co pan robi w moim domu? Gdzie...?

Potem wpadła do pokoju dziecięcego.

GDZIE JEST SALLY?

Pół godziny później siedzieliśmy wszyscy w salonie. Anton zasnął na rękach Luizy, wciąż bladej ze zdenerwowania. Jeff opowiedział, co się wydarzyło, i ona natychmiast zadzwoniła do mamy Sally. Ale tam też nikt nie odbierał. Może gdzieś wyszła. A może spała.

— Jeśli Sally nie pojawi się za pięć minut, dzwonię po policję — stwierdziła Luiza.

— A potem? — Sama czułam się tak, jakbym miała gorączkę. — Gdzie oni mają jej szukać?

— Naprawdę nie wiesz, gdzie mogłaby być? — Luiza pytała o to już po raz trzeci i właśnie chciałam znowu potrząsnąć głową, kiedy nagle coś mi przyszło na myśl.

— Lucas — powiedziałam. — Wspomniała coś o imprezie u Lucasa. Ale nic więcej nie powiedziała.

Luiza westchnęła.

— To nam niewiele pomoże. Nie znam żadnego Lucasa. Nie wiem nawet, jak się nazywa jej chłopak. —

Przejechała ręką po rudych włosach. — Do diabła, jestem wściekła na siebie. Wiem, jak surowa jest mama Sally. Zawsze taka była. A Sally już jako dziecko potrafiła świetnie kłamać. Kiedy jej rodzice się rozstali, matka w ogóle sobie z nią nie radziła. Powinnam była się domyślić, że ta dziewczyna kiedyś zrobi coś głupiego. O Boże, gdzie ona jest?

— Graziella! — Zerwałam się, bo nagle coś przyszło mi do głowy. — Starsza siostra mojego kolegi — wyjaśniłam. — Chodzi z Sally do jednej klasy. Mówiła, że kiedyś się przyjaźniły. Może ona wie, kim jest Lucas?

Alex zmierzył mnie wzrokiem. Można było bez trudu odczytać, o czym myśli. Prawdopodobnie wiedział, że mówię o siostrze Fabia. Ale teraz było mi to zupełnie obojętne. Rodzina Fabia nosiła nazwisko da Silva i znaleźliśmy ich numer w książce telefonicznej. Musiałam długo dzwonić, aż wreszcie odezwał się zaspany głos.

— Halo? — To był Fabio. Kiedy mnie usłyszał, natychmiast oprzytomniał. — Czy coś się stało? Potrzebujesz pomocy?

— Muszę porozmawiać z twoją siostrą. Tylko szybko, proszę — powiedziałam.

Graziella potrzebowała więcej czasu, żeby się obudzić. Fabio wy-

rwał ją z głębokiego snu. Mieliśmy szczęście. Znała Lucasa.

– Chodzi z nami do klasy – wyjaśniła. – Ciągle sprawia problemy. Często ma wolną chatę i wtedy urządza imprezy, na których najczęściej jest luźna atmosfera. O rany, Lolu, powinnaś się trzymać z daleka od Sally.

– Najpierw muszę ją znaleźć – odparłam.

Lucas mieszkał w Altonie. Jego adres znajdował się na klasowej liście Grazielli. Potem Fabio chciał jeszcze coś mi powiedzieć.

– Powodzenia, Lolu. Odezwij się, jeśli będziesz czegoś potrzebować – poprosił.

Przekonałam Luizę, żeby nie dzwoniła po policję. I poprosiłam Jeffa, żeby pojechał ze mną do Lucasa. Tata Aleksa spojrzał na Luizę.

– Co pani o tym sądzi?

Zawahała się.

– Sama nie wiem... – odparła. – Właściwie ja powinnam się tym zająć. Ale teraz nie mogę wyjść. – Głaskała Antona po główce. Chłopczyk przez sen ssał smoczek i znowu wyglądał bardzo spokojnie. – Dam panu numer mojej komórki – powiedziała. – Proszę, niech pan do mnie zadzwoni natychmiast, jak tylko znajdziecie Sally. Jeśli w ciągu pół godziny nie da pan znać, wezwę policję.

Jeff kiwnął głową.

— Tak zróbmy.

Pożegnaliśmy się, a na dworze Alex wziął mnie za rękę.

— Mam iść z wami? To znaczy... Czy mogę iść z wami? — Jego głos był zupełnie cichy. — Chcę być z tobą, Lolu.

— Dosyć późno na to wpadłeś — wymamrotałam.

Wsiedliśmy do samochodu. Usiadłam z tyłu. Alex koło mnie. Znowu chciał wziąć mnie za rękę, ale mu nie pozwoliłam. Wciąż byłam zbyt zdenerwowana. A jeśli chodzi o Aleksa, w dalszym ciągu czułam się zraniona.

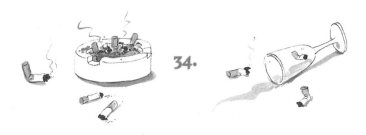

IMPREZA
SKOŃCZONA

Jak już mówiłam, nie mam doświadczenia z alkoholem. Jednak po tym, co przeżyłam tego wieczoru, wiedziałam, że Raszka się nie myli. Alkohol to niebezpieczna rzecz, która potrafi wyrządzić wiele złego, o czym mogłam się przekonać na przykładzie Sally.

Jej kolega Lucas mieszkał w domu jednorodzinnym. Nie było sąsiadów i dlatego nikt nie skarżył się na głośną muzykę. Basy grzmiały już na zewnątrz. Musieliśmy dzwonić jak na alarm, zanim ktoś otworzył drzwi. Przed nami stał chłopak w dżinsach i T-shircie. Wyglądał na spoconego i trochę się zataczał.

– Czego chcecie? – wybełkotał z niepewnym uśmiechem.

– Szukamy Sally – powiedział Jeff.

– Tutaj nie ma żadnej Sally – odrzekł chłopak i chciał nam zamknąć drzwi przed nosem. Ale Jeff okazał się szybszy. Wetknął stopę w drzwi i energicznie odepchnął chłopaka na bok. Ja i Alex wsunęliśmy się za nim.

Dom był pełen ludzi, przeważnie w wieku Sally. Tłoczyli się w przedpokoju i w salonie, tańczyli, krzyczeli i się śmiali. Niektóre pary się całowały, ale to wyglądało wstrętnie, jak obmacywanie. Atmosfera okazała się zupełnie inna niż w naszej restauracji podczas koncertów czy dyskotek. Inna też niż na urodzinach, na które mnie zapraszano. Wszystko wydawało mi się obce i dziwne, prawie jak w tunelu strachów, tylko że tutaj byli prawdziwi ludzie.

Śmierdziało alkoholem i papierosami. Ludzie trzymali w dłoniach kieliszki lub butelki. Ale nie z colą, nie ze sprite'em czy caipirinhą dla dzieci. Dostrzegłam rum, wódkę, piwo i wino. Kiedy przeciskaliśmy się za Jeffem przez tłum, chwyciłam Aleksa za rękę. Kilku nastolatków gapiło się, wołało lub mówiło coś do nas, parę dziewczyn wyglądało na przestraszone. Ale wszyscy wydawali się zbyt pijani, żeby móc rozsądnie myśleć. Na kanapie siedział chłopak o ciemnych włosach. Między nogami trzymał butelkę wódki, a z ust zwisał mu papieros. Na jego ramieniu opierała się Sally. Popatrzyła na nas, ale najwyraźniej nas nie poznała. Włosy miała zupełnie rozczochrane, a jej ciało było bezwładne, jakby nie mogła sama się utrzymać w pozycji siedzącej.

Wyglądała okropnie. Okropnie i obco, trochę jak obłąkana. Przestraszyłam się potwornie. Pociągnęłam

Jeffa i Aleksa w jej stronę. Chłopak gapił się na nas. Najpierw wydał mi się zaskoczony, a potem wściekły i przestraszony.

— Co jest? — wybełkotał.

— Czy to ona? — Jeff odwrócił się do mnie. — Czy to Sally?

Przytaknęłam.

— Czego chcecie? — Chłopak skoczył na równe nogi, a Sally przewróciła się na bok na kanapę i tak została, z zamkniętymi oczami. Jej towarzysz nagle otrzeźwiał. — Kim jesteście?

Alex mnie objął. Nie byłam w stanie wydusić z siebie ani słowa. Rozpoznałam tego chłopaka. To ten sam, który poprzednim razem przyjechał po Sally na motorze. W tym momencie inni chyba również pojęli, że impreza została przerwana przez nieproszonych gości. Kilka dziewczyn w przerażeniu chwyciło kurtki.

Ktoś ściszył muzykę. Paru chłopców w panice opuściło salon.

Jeff ukląkł przed Sally i chwycił ją za ramię. Nie oprzytomniała. Miałam wrażenie, jakby była nieżywą lalką.

— Co się stało? — Jakiś dryblas zatoczył się w naszą stronę. — Kim pan jest? I co pan chce zrobić?

— Zadzwonić po karetkę — odparł Jeff. — I po policję. Impreza skończona, ludzie!

Chłopak zbladł. Podniósł ręce, jakby Jeff był policjantem, ale ten w ogóle nie zwracał na niego uwagi. Wyciągnął z kieszeni komórkę i poszedł do drzwi. Ja i Alex pobiegliśmy za nim.

Dobra wiadomość
i niewiarygodna wiadomość

Tym razem Alex nie trzymał mnie za rękę. On mnie obejmował. Na tylnym siedzeniu samochodu Jeffa, który jechał w kierunku szpitala nad Łabą. Wtulałam się w Aleksa tak mocno, jak tylko potrafiłam, jednak myśleć mogłam tylko o Sally. Karetka przyjechała błyskawicznie. Razem z policją. Sanitariusz wyniósł Sally na zewnątrz, żeby przewieźć ją do szpitala.

O resztę gości zatroszczyli się policjanci. Kilku osobom udało się uciec, ale pozostałym Jeff zagrodził drogę. Jak ochroniarz stał przy drzwiach do chwili przyjazdu policji. Jeff jest wysoki i silny. Nikt mu się łatwo nie wymknie.

Kiedy jechaliśmy do szpitala, Jeff poprosił Aleksa, żeby wykonał dwa telefony. Do Luizy, by ją poinformować, co się stało z Sally, i do Penelopy, by wyjaśnić, dlaczego nie odebrał jej po pracy. Słyszałam, jak rozmawiając z Aleksem, Luiza szlocha w słuchawkę. Wiele nie było do opowiadania.

Druga rozmowa trwała dłużej, bo Penelopa kazała Aleksowi zrelacjonować całą historię. Cały czas pytała przy tym o mnie. I koniecznie chciała pogadać z Jeffem. Nie słyszałam jej głosu, tylko odpowiedzi Aleksa.

— Teraz nie da rady — protestował. — Jeff prowadzi. Mam mu coś przekazać? *Okay*... Tak... tak. Powtórzę.

Kiedy zakończył rozmowę, podał telefon tacie.

— Masz zadzwonić do Penelopy, jak tylko dotrzemy do szpitala. Twierdzi, że to ważne, ale nic więcej nie chciała powiedzieć.

Potem Alex oparł się na siedzeniu i objął mnie ramionami. Nic nie mówił. Ja też. I to akurat było odpowiednie w tej chwili.

Kiedy dojechaliśmy do szpitala, kobieta w recepcji poinformowała nas, gdzie mamy zaczekać. Byłam tu już kiedyś, gdy odwiedzałam mamę w pracy. Wszystko znałam, ale nagle poczułam się obco.

W poczekalni dostrzegłam dwie kobiety w chustach i starszego mężczyznę, który miał na sobie górę od piżamy zamiast koszuli. Wszyscy patrzyli w podło-

gę z linoleum, a mężczyzna od czasu do czasu popijał kawę z plastikowego kubka.

Nad drzwiami wisiał zegar. Dochodziło wpół do trzeciej, a ja oscylowałam gdzieś pomiędzy całkowitą przytomnością a zupełnym wyczerpaniem.

Za piętnaście trzecia do poczekalni weszła kobieta o blond włosach. Poznałam od razu, że to mama Sally, a kiedy Jeff ją zagadnął, zalała się łzami. Jąkała na zmianę „O Boże" i „dziękuję". Chwilę przed trzecią pojawiła się lekarka.

— Czy ktoś czeka na Sally Kruse?

Mama Sally zerwała się natychmiast. Lekarka wyszła z nią na korytarz. Chciałam za nimi pobiec, ale Jeff mnie powstrzymał.

— Wszystko z nią w porządku — poinformowała nas pani Kruse, kiedy wróciła do poczekalni. I znowu zaczęła szlochać. — Ma zatrucie alkoholowe, ale lekkie. Mogę teraz do niej pójść. — Objęła mnie. — Ty lepiej zostań tutaj. Dziękuję ci. O Boże. Dziękuję ci. Dziękuję wam wszystkim. — Uścisnęła dłoń Aleksowi, a potem Jeffowi. — Przekażę Luizie, że wszystko dobrze się skończyło. Dziękuję. Dziękuję.

I poszła.

— Powinniśmy ruszać w drogę — zdecydował Jeff. — Zawiozę cię do domu, dobrze?

Zawahałam się.

— Rodzice myślą, że śpię u Luizy — odpowiedziałam. — Nie chcę ich przestraszyć.

— Możesz przenocować u nas — zaproponował szybko Alex. Znowu się zawahałam. Nawet porządnie nie porozmawialiśmy. A to wciąż nie był najbardziej odpowiedni moment.

— Myślę, że jednak wolę jechać do domu — powiedziałam. — Wślizgnę się po cichu. A rano opowiem rodzicom, co się stało.

Jeff kiwnął głową.

— A ty musisz zadzwonić do Penelopy — przypomniał mu Alex. Zmarszczył brwi. — To chyba było pilne.

— Do diabła! — Jeff spojrzał na zegarek. Dochodziła trzecia. — Zupełnie zapomniałem. Teraz ona na pewno już śpi.

Nie spała. Zanim doszliśmy na parking, znowu zadzwonił telefon Jeffa.

— Halo? Penelopa? Przykro mi, tyle się działo... — zaczął i urwał. Potem dodał: — Nadal jesteśmy w szpitalu... Tak. Nad Łabą... Tak. Lola jest ze mną. Chciałem ją właśnie zawieźć do domu, ruszamy zaraz... — Znowu urwał. Najwyraźniej u Penelopy też się dużo działo. Albo była wściekła. W każdym razie Jeff zaniemówił z komórką przyciśniętą do ucha. Szeroko otworzył oczy. Kiwał głową bez końca, jak jamnik samochodowy. Potem wypuścił powietrze. Rozłączył się. Popatrzył na mnie.

I wtedy całe ciało zaczęło mnie swędzieć, najpierw skóra głowy, potem dalej i dalej na dół, aż do czubków palców u nóg.

Jeff podszedł do mnie. W jego oczach migotały łzy, ale się uśmiechał.

— Twój tata właśnie zadzwonił do Penelopy — powiedział. W uszach mi zaszumiało. — Jest tutaj, w szpitalu — kontynuował Jeff. — Twoja mama też tu jest. Z nimi wszystko dobrze. I z twoim bratem również.

Uśmiech Jeffa stał się jasny jak księżyc, który teraz świecił na niebie.

— Moje gratulacje z okazji urodzin, Lolu. Pół godziny temu na świat przyszedł twój brat.

36.

BŁĘKITNA CHMURKA

Kiedy Jeff i Alex żegnali się ze mną przed pokojem mamy, księżyc już zniknął. Dochodziła piąta, ale na dworze było jeszcze zupełnie ciemno. Prawie dwie godziny czekali razem ze mną, tym razem w poczekalni sali porodowej. Położna przekazała nam, że papai przebywa jeszcze z moim bratem, a mama jest opatrywana. Znałam tę siostrę z widzenia. Powiedziała, że mój brat przyszedł na świat przez cesarskie cięcie. Przestraszyłam się okropnie, ale uspokoiła mnie, że mama i dziecko czują się dobrze. Chwilę przed ósmą poprzedniego wieczoru mama dostała skurczów i wszystko potoczyło się bardzo szybko. Inaczej niż teraz. Utkwiłam wzrok w sekundniku zegarka i śledziłam jego ruchy. Niekończące się ruchy.

Aż wreszcie przyszedł po mnie papai. Miał sińce pod oczami, ale w jego oczach migotało całe niebo gwiazd.

— Moja dziewczynka — szepnął. — Moja mała wielka dziewczynka.

Utulił mnie w ramionach, podziękował Jeffowi i Aleksowi, a potem zaprowadził mnie do pokoju mamy. Po cichutku otworzył drzwi i ostrożnie wepchnął mnie do środka.

Mama leżała w łóżku i opierała się o grubą poduszkę leżącą na uniesionym wezgłowiu. Wyglądała na wyczerpaną. Tak wyczerpaną, jakby stoczyła długą i ciężką walkę. Nawet uśmiech sprawiał jej trudność. Na piersi mamy również leżała poduszka, błękitna jak akwarelowe chmurki, które malowała ciotka Lisbeth.

A potem usłyszałam jakiś dźwięk. Dobiegał z poduszki. Z błękitnej chmurki rozległo się delikatne kwilenie. Brzmiało prawie tak jak miauczenie Śnieżki, kiedy była jeszcze kociątkiem.

Papai trzymał ręce na moich barkach i bardzo powoli popychał mnie do przodu. Poruszałam się na paluszkach. Jak ktoś, kto się unosi w powietrzu. Jednocześnie myślałam o tym, co Alex powiedział mi o Pascalu. „Pomarszczony łysy krasnal z okruchami sera na czole".

A potem w ogóle przestałam myśleć.

Stałam po prostu i patrzyłam na błękitną chmurkę, w której leżał mój braciszek. Mój malutki, malusieńki braciszek. Najpierw zobaczyłam jego włosy, czarne jak smoła. Potem mama odchyliła nieco poduszkę, żebym mogła ujrzeć całą główkę. Nie była wiele większa od piłki do tenisa, ale oczywiście nie żółta ani zielona, tylko jasnobrązowa jak kawa z mlekiem. Oczy miał mocno zamknięte, nos podobny do małego guzika i pełne wargi.

I nic nie było pomarszczone. Nie mogłam też dostrzec okruchów sera. Malusieńka twarzyczka wydawała się miękka i gładka. Mama wyjaśniła mi później, że to z powodu cesarskiego cięcia. Bo mój brat nie musiał się przez nią przeciskać, tylko został wyciągnięty bezpośrednio z brzucha. I był umyty. Pachniał czymś słodkim. Ten aromat chciałoby się złapać w butelkę i zabrać do domu.

W pokoju panowała cisza, jakiej nigdy dotąd nie słyszałam. Ciszy nie da się przecież usłyszeć, ale tę tutaj — owszem.

Przypomniało mi się coś, co mama opowiadała o moich narodzinach. Odniosła wtedy wrażenie, jakby w pokoju unosiło się coś niewidzialnego. Jakiś anioł.

I to uczucie miałam teraz w tej szczególnej ciszy. Bo przecież anioły nie robią hałasu. Anioły są ciche. Muszą takie być, żeby móc dobrze strzec swoich podopiecznych.

Mama wskazała głową krzesło stojące przy jej łóżku. Usiadłam na nim. Potem spojrzała na tatę, a on podniósł błękitną chmurkę i przyniósł ją mnie. A więc tej nocy po raz drugi trzymałam na rękach dzidziusia. Tylko że ten należał do mnie. Mój młodszy braciszek. Który właśnie otworzył oczy. Myślałam, że będą czarne. Ale one okazały się granatowe jak niebo nocą. I nagle coś chwyciło mnie za kciuk. Pięć maciupeńkich paluszków objęło go mocno. Naprawdę mocno, z siłą prawdziwego lwiątka.

Nagle wiedziałam, jak będzie się nazywał mój brat. Wprawdzie nie byłam Lalą Lu, zaklinaczką niemowląt, ale miałam poczucie, że potrafię odczytać imię w jego myślach.

— Leandro — szepnęłam. — Cześć, Leandro. To ja, Lola. Twoja starsza siostra.

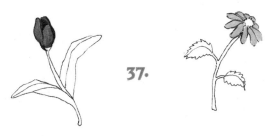

DWA BUKIETY KWIATÓW,
NOWY POCZĄTEK
I SPÓŹNIONA ODPOWIEDŹ

Spadł śnieg. Słońce stało już wysoko na niebie, kiedy z tatą wracaliśmy do domu, żeby się troszkę przespać. Najpierw jednak musieliśmy coś zjeść. Papai zrobił jaja sadzone z boczkiem, a mnie dopadł wilczy apetyt.

Opowiedziałam tacie, co przeżywałam, kiedy mój młodszy brat postanowił wcześniej przyjść na świat, a papai zdał mi relację z narodzin Leandra. Rodzice myśleli, że razem z Sally spokojnie opiekuję się Antonem. A ja sądziłam, że wszyscy spokojnie śpią w domu. Tymczasem nie minęły dwie godziny, odkąd Sally odebrała mnie z domu, a mama dostała skurczów. Natychmiast zadzwoniła do restauracji, dlatego Penelopa wiedziała, co się dzieje. W szpitalu pojawiły się komplikacje. Coś było nie tak z tętnem Leandra i dlatego musieli rozciąć mamie brzuch i go wyciągnąć. Oczywiście mamę znieczulono i papai mówi, że wszystko poszło bardzo sprawnie. Mój braciszek nie potrzebował nawet respiratora. Przez tydzień mama zostanie z nim w szpitalu, ale tylko na obserwacji. Wprawdzie urodził się cztery tygodnie za wcześnie i nie osiągnął jeszcze normalnej wagi, ale był wystarczająco duży i silny: według informacji taty mierzył czterdzieści osiem centymetrów i ważył dwa tysiące sześćset gramów.

— Wszyscy mieliśmy wielkie szczęście — powiedział. Wsunął sobie pasek usmażonego boczku do ust i popatrzył na mnie. — Gdybyśmy wcześniej wiedzieli, co ty tej nocy przeszłaś, chybabyśmy oszaleli. — Przyciągnął mnie do siebie na krzesło. — Jak dobrze, że dodzwoniłaś się do Jeffa. I Aleksa. — Uśmiechnął się. — A skąd u niego taka nagła zmiana nastawienia?

Umoczyłam tost w żółtku. Racja, sama się nad tym zastanawiałam. Alex mnie przeprosił. Dlaczego? Co się stało?

Pytaniami bombardowała mnie również Raszka, która zadzwoniła chwilę po ósmej. Przez pół nocy nie spała i potwornie się martwiła. Ale opowiedziałam jej tylko to, co najważniejsze, bo musiałam nadrobić nieprzespaną noc. Raszka nie pomstowała już na Sally, stwierdziła tylko, że zrobiłam, co trzeba, i mogę być z siebie dumna. Kiedy odłożyłam słuchawkę, papai leżał już w łóżku. Przytuliłam się do niego i chwilę później zasnęłam.

Gdy wczesnym popołudniem znowu pojechaliśmy do szpitala, w ręce trzymałam dwa bukiety. Czerwone róże dla mamy i bukiet pomarańczowych kwiatów dla Sally, która również została w szpitalu na obserwacji.

Mama spała w swoim łóżku, a mój brat na oddziale noworodków razem z innymi bobasami w malutkich łóżeczkach na kółkach. Widziałam go przez szybę. Leandro trzymał piąstkę przy oku. Maciupeńkie paluszki były lekko otwarte, tak że jego rączka wyglądała jak malutka lornetka. Ale oczy miał mocno zamknięte.

Mój młodszy brat. Już obecny. Tak właśnie, obecny. Nadal nie mogłam w to uwierzyć. Cmoknęłam szybę.

— Na razie, mały Leandro — powiedziałam. — Słodkich snów.

Potem poszłam do Sally.

Leżała w dwuosobowym pokoju, ale drugie łóżko było puste. Na krześle siedziała Luiza z Antonem na rękach. Wzrok Sally skierowany był w sufit. Nie wyglądała już obrzydliwie. Ale pięknie też nie. Z bladą twarzą, w białej koszuli w białej pościeli sprawiała wrażenie małej i zagubionej. Kiedy stanęłam obok Luizy i podałam Sally kolorowy bukiet, odwróciła głowę w drugą stronę.

Za to Anton wyciągnął do mnie rączki.

— Lala — powiedział. Jego twarz się rozpromieniła. Mnie było daleko do takiego nastroju. Nie gniewałam się już na Sally. Ani trochę. Jej widok w takim stanie po prostu mnie zasmucał.

Pogłaskałam Antona po główce i wyszłam z pokoju, mruknąwszy na do widzenia:

— Szybkiego powrotu do zdrowia, Sally.

Luiza ruszyła za mną.

— Chciałabym ci jeszcze raz podziękować, Lolu — oznajmiła. — Za wszystko, co zrobiłaś. Z pewnością nie było to dla ciebie łatwe. Pokazałaś prawdziwą klasę.

— Dziękuję — wymamrotałam. Nie czułam się jednak wspaniale. — Ale gdyby nie ja, to wszystko by się nie wydarzyło — stwierdziłam. — Sally zostałaby z Antonem i...

— ...stałoby się to w inny sposób. — Luiza wyciągnęła palce synka ze swoich włosów i uśmiechnęła się do mnie. — Jestem pewna, że wczoraj Sally nie upiła się po raz pierwszy. W każdym razie jej chłopak często miał kłopoty z policją. I to nie tylko przez alkohol, lecz także przez narkotyki. — Luiza westchnęła. — Wczoraj wszystko się wydało. Mama Sally rozmawiała z jego matką. A chłopak nawet się tu nie pokazał. Nawet nie zadzwonił, aby zapytać, jak ona się czuje. — Położyła mi rękę na ramieniu. — Chociaż to, co się wczoraj wydarzyło, było straszne, cieszę się, że wreszcie prawda wyszła na jaw. Dzisiaj długo rozmawiałam z panią Kruse. Sally przejdzie terapię, w której ona też weźmie udział. Twoja koleżanka potrzebuje wyznaczenia granic. Ale potrzebuje też mamy, która jej zaufa, zamiast określać tylko zakazy i kary. Może życie czasami musi się tak ułożyć, żeby coś zmieniło się na lepsze.

W tej chwili Anton zrobił: „Bwa". Nie zdołałam się powstrzymać od lekkiego uśmiechu. Może Luiza miała rację.

Wyobraziłam sobie, jak straszne byłoby dla mnie, gdyby mama i papai mi nie ufali. Gdybym musiała ich ciągle okłamywać. I gdybym miała chłopaka, który nawet nie przyszedł odwiedzić mnie w szpitalu, kiedy wydarzyło się coś takiego.

— Proszę jeszcze raz przekazać jej ode mnie życzenia wszystkiego najlepszego — powiedziałam.

— Tak zrobię — obiecała Luiza. — A dla ciebie serdeczne gratulacje, Lolu. Słyszałam, że wczoraj urodził się twój mały braciszek.

Zrobiłam wielkie oczy.

— A skąd pani wie?

— Od taty twojego chłopaka. Dzwonił dziś do mnie. Obydwaj są naprawdę cudowni. Masz szczęście. — Luiza się uśmiechnęła. — I przyjdź mnie kiedyś odwiedzić. W końcu musisz zabrać rzeczy dla twojego braciszka.

Obiecałam jej to. Ale najpierw zamierzałam odwiedzić kogoś innego.

— Wreszcie — powiedział Alex, kiedy godzinę później zadzwoniłam do drzwi Jeffa. Papai opłacił mi taksówkę. — Już myślałem, że nigdy nie przyjdziesz. Co słychać? — Pociągnął mnie za rękę do swojego pokoju. — Jak się ma twój brat?

— Dobrze — odparłam. — A gdzie Jeff?

— U Penelopy w „Perle". Sądzę, że pomaga jej obsługiwać gości. — Alex uśmiechnął się kpiąco. — Miejmy nadzieję, że nie przyjdzie akurat żaden krytyk kulinarny, który mógłby narzekać na zły serwis.

Wybuchnęłam śmiechem. Ale zaraz znowu spoważniałam.

Usiadłam na krześle Aleksa. On opierał się o ścianę i bawił się obluzowanym guzikiem koszuli. Jego pokój był wysprzątany jak nigdy dotąd. Nigdy wcześniej nie widziałam też, by Aleks czuł się tak niepewnie. Cały czas na mnie patrzył. Jego oczy zatrzymały się na srebrnym serduszku, które nosiłam na szyi.

— Ładne — ocenił. W jego głosie brzmiała skrucha. — Skąd masz?

— Od Raszki.

— Ach tak. — Tak mocno ciągnął guzik, że go oderwał. — A gdzie... mój lew?

— Pod łóżkiem — odrzekłam. — W kartonie. Razem z listami od ciebie. I moim telefonem komórkowym.

Alex osunął się po ścianie na podłogę.

— Ach, to dlatego — powiedział. — Wysłałem ci w ostatnich dniach kilkanaście SMS-ów.

— A ja w ostatnich tygodniach wysłałam ci kilkadziesiąt SMS-ów! — fuknęłam. Nagle w brzuchu znowu pojawiła się złość. — Dlaczego? — zapytałam. — Najpierw piszesz mi, że nie chcesz mnie więcej widzieć, a potem ni z tego, ni z owego odzywasz się i przepraszasz. Jak to możliwe?

— To Raszka — odparł Alex. Więcej nie był w stanie z siebie wydusić. Wyglądał teraz na naprawdę skruszonego.

— Co? Raszka? — Już nic z tego nie rozumiałam. Co miała do rzeczy Raszka?

— Ona do mnie zadzwoniła — wyjaśnił Alex. — Trzy dni temu. Jeff dał jej mój numer. Opowiedziała mi, co się wydarzyło w dniu twoich urodzin.

— Chwilę. — Podniosłam rękę. Musiałam wziąć głęboki oddech. Raszka zadzwoniła do Aleksa? I co ja na to? Zamknęłam oczy. Słodkie. Było to naprawdę słodkie, że moja przyjaciółka to dla mnie zrobiła. Ale także zupełnie beznadziejne — ze strony Aleksa.

Rzuciłam mu ostre spojrzenie.

— Ja — warknęłam. — Ja chciałam ci to opowiedzieć. To mnie powinieneś wysłuchać. Mnie powinieneś zaufać. Ale nawet nie dopuściłeś mnie do głosu. Wiesz,

273

jakie to było straszne? Twój zakichany SMS, że mam cię zostawić w spokoju? Wiesz, jak to bolało?

Alex skinął głową. Wyglądał jak półtora nieszczęścia.

— Tak — potwierdził. — Wiem. Jednak nie mogłem inaczej. Mnie to też bolało, Lolu. Okłamałaś mnie. Przynajmniej na początku. Kiedy powiedziałaś, że siostra Fabia jest przyjaciółką Glorii.

— Ale potem powiedziałam ci prawdę!

— Tak — odparł Alex. — Potem. Ale nadal czułem zazdrość. A kiedy zobaczyłem cię wtedy z Fabiem, kiedy ujrzałem ten... ten cholerny pocałunek, to był dla mnie koniec. — Alex obracał guzik w dłoni. — Sam zapłaciłem za połowę biletu, kiedy przyleciałem na twoje urodziny. Chciałem ci zrobić niespodziankę. Jednak to ty mnie zaskoczyłaś. I to było paskudne uczucie.

Zamilkł. Ja również milczałam. Guzik wypadł mu z dłoni. Potoczył się po podłodze i zatrzymał przy nodze mojego krzesła. Podniosłam go.

— Może następnym razem uprzedź mnie, że przyjeżdżasz — bąknęłam. — Ale przede wszystkim następnym razem mi zaufaj.

Alex popatrzył na mnie.

— Czy to znaczy... — zaczął i uśmiechnął się swoim promiennym uśmiechem, od którego zawsze kręciło mi się w głowie — ...czy to znaczy, że znów jesteśmy razem?

Popatrzyłam na niego. I uświadomiłam sobie, jak bardzo go kocham. Troszkę jak zawsze. Jednak poczułam też coś innego. Najchętniej bym to w sobie stłumiła. Tylko że mi się nie udało. Tyle się zdarzyło w ostatnich miesiącach. Tyle myśli i emocji się we mnie pojawiło. Cieszyłam się na mojego młodszego brata i na nową szkołę, a potem zaszło tyle innych rzeczy. Nie tylko sprawa z Aleksem i Fabiem, lecz także z Sally. Zastanawiałam się, jak czuje się Sally, której nawet nie odwiedził chłopak. Myślałam o tym, co Raszka powiedziała o Penelopie. Jak wszystko między nią i mężczyznami zawsze się psuło. Teraz związała się z Jeffem i chciałam mocno wierzyć, że tym razem skończy się inaczej. Ale Penelopa była już duża. Dorosła. A Sally mimo wszystko miała tylko piętnaście lat. A ja dopiero jedenaście. Na pewno nie byłam już dzidziusiem jak Anton czy mój brat. Czułam przez skórę, że jestem na tyle duża, aby o siebie zadbać. Lecz na inne rzeczy byłam za mała. Może...

— Lola?

Wzdrygnęłam się. Alex nadal kucał przy ścianie. Ale już się nie uśmiechał. Wyglądał na przestraszonego.

— Dlaczego nic nie mówisz? — szepnął. — Chcesz... chcesz ze mną zerwać?

— Nie — powiedziałam drżącym głosem. Nie! Nagle wiedziałam dokładnie, czego chcę, a czego nie. — Nie chcę zrywać — zapewniłam. — Wolę zacząć od nowa. Chcę, abyśmy byli przyjaciółmi. Nic mniej, ale w najbliższym czasie również nic więcej. — Popatrzyłam na niego. — Czy dla ciebie to byłoby *okay*?

Alex patrzył w podłogę i kiedy po całej wieczności podniósł głowę, poczułam w sobie pustkę. Bardzo się bałam, że go stracę.

Potem wstał, podszedł do mnie, chwycił mnie za ręce i podciągnął do pionu. Nabrał głęboko powietrza i pocałował mnie w usta. Jego wargi były bardzo miękkie i smakowały trochę jak pizza.

— Na pożegnanie — wymamrotał i uśmiechnął się z lekkim smutkiem. Ale jednocześnie wyglądał, jakby mu trochę ulżyło.

— I na dobry początek — powiedzieliśmy razem i się roześmialiśmy.

Potem było trochę dziwnie, ale tak musi być na samym początku.

Staliśmy w pokoju, chrząkaliśmy i mijaliśmy się wzrokiem. Trochę chciało mi się płakać. I wyglądało na to, że Aleksowi też. Wreszcie sięgnął do kieszeni:

— Mam coś dla ciebie. — Wetknął mi do ręki kawałek papieru.

Zmarszczyłam brwi.

— Co to?

Alex uśmiechnął się szeroko.

— Odpowiedź na twoje pytanie — odrzekł, a kiedy patrzyłam na niego, nic nie rozumiejąc, dodał: — Miałem kiedyś coś dla ciebie obliczyć, pamiętasz? Ale wtedy nie znałem dokładnego czasu...

Otworzyłam szeroko oczy.

– Czy to... ascendent mojego braciszka?

Alex przytaknął, a ja rozwinęłam karteczkę.

Kiedy zobaczyłam, co jest na niej napisane, uśmiech rozjaśnił mi twarz.

Znakiem Zodiaku Leandra był Strzelec, jednak w ascendencie miał to samo co ja – Lwa.

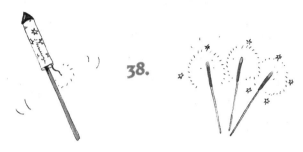

Lista na koniec

– i na dobry początek

Znacie Raszkę. Moja najlepsza przyjaciółka Raszka pomaga mi zawsze w opowiadaniu, kiedy nie mogę znaleźć początku lub dojść do końca, tak jak teraz. Na wypadek takiej sytuacji wynalazła listę końcową. Tym razem nazwę ją listą „pourodzeniową". Oto najważniejsze wydarzenia:

Alex jako pierwszy z przyjaciół zobaczył mojego braciszka. Jeszcze tego samego wieczoru pojechaliśmy do mamy i Leandra do szpitala. Alex nie odważył się jednak do niego podejść. Kiedy weszliśmy do pokoju mamy, właśnie karmiła i to najwyraźniej zawstydziło Aleksa. Oparł się plecami o drzwi i wyglądał na tak onieśmielonego jak ja pierwszego dnia tańców. Ale ja musiałam dokładnie obejrzeć Leandra. Braciszek ssał pierś mamy, mlaszcząc przy tym jak głodne lwiątko.

Wszyscy się zgodzili na imię Leandro. Ono znaczy „lew" tak samo jak Leon, ale brzmi bardziej po brazylijsku. Potwierdziła to vovó i moich siedem ciotek, które przysłały gratulacje. Skoro byłam starszą siostrą lwicą, mogłam mieć u boku brata lwa.

Pięć dni później wypadała Wigilia. W tym roku spędziliśmy ją w szpitalu, bo mama i Leandro musieli jeszcze tam zostać. Mimo to mieliśmy wspaniałą uroczystość. Papai kupił najmniejszą choinkę, jaką znalazł. Postawiliśmy ją na stole. Oczywiście przyszli też babcia, dziadek i ciotka Lisbeth. Kiedy wrócili znad Morza Północnego, zrobili wielkie oczy. Prezentów w tym roku było mało, bo w całym tym zamieszaniu nikomu nie udało się pójść na zakupy. Ciotka Lisbeth i tak najchętniej bawiłaby się pakowaniem i rozpakowywaniem Leandra. Nieustannie ciągnęła jego kocyk i dawała bobasowi buziaki w policzek. „Teraz jestem podwójną ciotką — stwierdziła. — Lola jest moją siostrzenicą, a Leandro siostrzenicem". „Siostrzeńcem" — poprawiła ją babcia. Ale według ciotki „siostrzenic" brzmiał lepiej.

Drugiego dnia świąt mama i Leandro opuścili szpital. Mój braciszek bez przerwy był głodny. Czasami bałam się, że wyssie z mamy wszystkie soki. Ale to oczywiście bzdura. Mama stała się mleczarnią i to ją najwyraźniej bardzo męczyło. Ciągle musiała spać. A kiedy Leandro się budził, pilnowałam go. Mogłam go nawet kąpać i przewijać. W jednej sprawie Alex miał rację: jak się ma takiego fistaszka, to naprawdę można sikać szerokim łukiem.

 Na czas świąt papai zamknął restaurację, a sylwestra świętowaliśmy w domu. Razem z Raszką, Solem, Aleksem, Penelopą i Jeffem — którego Raszka wreszcie zaakceptowała.

Mama i Leandro poszli wcześnie spać, bo mama martwiła się, że dziecko wystraszy się fajerwerków. Ale mój brat przespał wszystkie wystrzały. Papai i Jeff wyszli z nami przed dom. Jeff przyniósł rakiety, jednak nie głośne petardy, lecz takie, które cicho strzelały w niebo i dopiero później eksplodowały święcącym bukietem kolorowych gwiazdek. Stojąc tak i patrząc w niebo, trzymaliśmy się z Aleksem za ręce, a kiedy spojrzeliśmy na siebie, poczułam, że może jednak jesteśmy czymś więcej niż tylko przyjaciółmi. Czym dokładnie, nie wiem. Ale może nie na wszystko trzeba mieć nazwę. Najważniejsze, że naprawdę się czuje. I tak właśnie było. Na początku stycznia Alex wrócił do Paryża, a na pożegnanie zawiesiłam sobie na szyi wisiorek lwa obok serca Raszki.

 Moim dobrym przyjacielem został Fabio. Teraz z czystym sumieniem mogłam się z nim spotykać — oczywiście bez pocałunków. Nie wiedziałam, czy nadal jest we mnie zakochany, ale nie chciałam się nad tym zastanawiać.

 Natomiast Sally usunęła się w cień. Kiedy w nowym roku spotykałam ją na tańcach, nie rozmawiała ze mną i zawsze znikała od razu po zajęciach. Ale na przerwach coraz częściej widywałam ją na podwórku z Graziellą. Uważałam, że to dobrze, bo Sally przydałaby się dobra przyjaciółka. Od Grazielli dowiedziałam się, że Sally zerwała ze swoim chłopakiem i poszła na terapię. Podczas przedstawienia na koniec semestru znowu była w formie. Tańczyliśmy w czarnych koszulkach i pomarańczowych opaskach na głowie, a reflektory podświetlały na czerwono mgłę wydostającą się spod naszych stóp. Wspólnie z naszymi zespołami pokazałyśmy sobie nawzajem, na co nas stać. Banda Sally wykonała moonwalk, hiphopowe skoki i obroty — moja banda wraz ze mną skontrowała sambą reggae, skokami afro oraz krokami Xangô i Jemanjà. Wszyscy klaskali i dostaliśmy chyba jeszcze więcej braw niż szkolny zespół muzyczny, który grał przed nami. Mama Sally również się pojawiła, razem z Luizą i Antonem — a moi rodzice przyszli z Leandrem. Myślę, że najbardziej dumny był papai. Powiedział, że tańczę jak prawdziwa Brazylijka i że pewnego dnia zabierze mnie na karnawał do Rio.

Zanim wyszliśmy, przedstawiłam Sally mojego brata. Skóra Leandra stała się jeszcze ciemniejsza. Nabrała koloru kawy z odrobiną mleka, a jego czarne włosy skręciły się w loczki. Wyglądał trochę jak miniaturowy papai – ale Sally uznała, że jest podobny również do mnie.

Potem posłała mi uśmiech. Nie powiedziała „przepraszam" ani nic w tym rodzaju. Jednak czasami uśmiech mówi więcej niż słowa. Kiedy wychodziły, mama Sally objęła ją ramieniem, i to też wiele mówiło.

 Na początku lutego znowu było trochę Gwiazdki, bo dostałam kilka spóźnionych prezentów. Papai kupił mi nowe biurko, a dziadek zbudował łóżko. Piętrowe. Takie jak u Raszki. Położyłam pod nim gruby miękki dywan. Pewnego dnia mój brat będzie mógł na nim raczkować. Miał już prawie siedem tygodni i zrobił się nie tylko większy, lecz także głośniejszy. Już nie brzmiał jak miaucząca Śnieżka, lecz potrafił dać prawdziwy koncert ryków, co czasami było naprawdę denerwujące, przede wszystkim nocą, kiedy nie mógł zasnąć. Najwyraźniej odziedziczył to po mnie. Za to w ubiegłym tygodniu po raz pierwszy naprawdę się uśmiechnął i mogę wam powiedzieć, że wtedy rzeczywiście pokazało się słońce.

Spóźniony prezent otrzymał również Leandro – i to ode mnie. Babcia nauczyła mnie robić na drutach. Szczerze mówiąc, dosyć często gubiłam nić i myliłam ściegi. Raz nawet Śnieżka zagrała motkiem wełny w piłkę nożną i przy tym wszystko poplątała. Ale z pomocą babci wyszło mi w końcu coś naprawdę pięknego: jaskrawożółty szalik w zielone paski.

 Znalazłam również magiczne słowo dla Leandra. Właściwie były to dwa słowa, mianowicie: *Te amo*, co po portugalsku znaczy: „Kocham cię".

Podziękowania

To, że na świat przyszedł tom przygód Loli i Leandra, zawdzięczam ludziom, którzy pomagali mi podczas pisania:

Vanessie Walder, która była akuszerką tej książki. Szczególna rozmowa w szczególnym miejscu doprowadziła do powstania Loli – zaklinaczki niemowląt. Pewien e-mail w szczególnym momencie sprawił, że mogłam pisać dalej. Mojej wyjątkowej przyjaciółce i towarzyszce szepczę za to: „Ogromnie dziękuję".

Leili Permantier, która jest w tym samym wieku co Lola i wymyśliła automat do smoczków, a także zasugerowała, że Lala Lu może czytać w myślach bobasów. Poza tym w wielu cudownych i wyczerpujących e-mailach zaspokoiła moją ciekawość na temat życia piątoklasistki.

Loni Melinie Aurin – także rówieśniczce Loli – za to, że odpowiedziała na dłuuuuuugą listę pytań, która bardzo mi pomogła podczas opisywania początku roku szkolnego.

Sylvii Englert, która przeczytała pięć pierwszych rozdziałów, wygłosiła celne uwagi oraz również i tym razem wybiła mi z głowy wątpliwości!

Inie Wandel, która odpowiedziała na pytania dotyczące grupy tanecznej – a w szczególności hip-hopu i innych technik, których Lola uczy się na zajęciach. To była ciekawa i bardzo pomocna „telefoniczna lekcja tańca"!

Straży pożarnej, która udzieliła mi informacji na temat zalewania sąsiadów i powodowanych przez wodę szkód – oraz zdradziła mi, na szczęście, jak straż pomaga w takich sytuacjach!

Tamarze Steg, która jako moja agentka miała wszystko pod kontrolą, tak że mogłam pisać w spokoju. Udzielała mi również fachowych odpowiedzi na pytania dotyczące ciąży, była zawsze gotowa do rozmowy oraz stała się „turboczytelniczką" manuskryptu.

Alex Borisch, która towarzyszyła mi jako redaktorka również przy tym tomie. To, co Lola odkrywa w tej książce, to szczera prawda: kiedy pisarze potrzebują rady lub nie wiedzą, co dalej, wtedy dobra redaktorka jest naszym oparciem. Dziękuję za wszystkie cenne uwagi przed rozpoczęciem i podczas pisania, za wsparcie i zachwyt – i za to, że nie straciłam wątku.

Annette Moser, Danieli Marcinski i wielu innym „lwicom i lwom" wydawnictwa – pomocnikom, bez których żadnej Loli by nie było. Wielkie dzięki za pracę nad tekstem i za to, że powstała gotowa książka.

285

Dagmar Henze, która zilustrowała wszystkie tomy przygód Loli. Dla mnie jest kimś więcej. To, jak bardzo świat Loli leży jej na sercu, widać na każdym z tych obrazków. Bez słów opowiadają całą historię i pokazują mnóstwo uczuć. Jak zwykle pracowałyśmy z Dagmar ręka w rękę – knując wspólnie niejedną intrygę.

Annie Dettlaff i Luise Neubauer, które stały się pierwszymi młodymi czytelniczkami tej książki. Wasza szybka reakcja i zachwyt były dla mnie cudownym potwierdzeniem obranej drogi!

Sofii i Barbarze Abedi, Eduardowi i Inaíe Macedo – jesteście moją rodziną, najważniejszymi towarzyszami w życiu i w pisaniu. Dziękuję wam za wszystko!

Isabel Abedi urodziła się w 1967 roku w Monachium, ale wychowała się w Düsseldorfie. Po maturze wyjechała na rok do Los Angeles i tam pracowała jako opiekunka do dzieci i jako praktykantka przy produkcji filmów. W Hamburgu zdobyła wykształcenie jako copywriter. W tym zawodzie pracowała 13 lat. Wieczorami pisywała historyjki dla dzieci i marzyła, aby pewnego dnia zostać pisarką. To marzenie się spełniło. Obecnie Isabel Abedi z zamiłowania jest autorką książek dla dzieci. Zostały one przetłumaczone na wiele języków i uhonorowane licznymi nagrodami. Isabel Abedi mieszka z mężem i dwiema córkami w Hamburgu i – tak samo jak w tej książce – również w jej rodzinie „papai" pochodzi z Brazylii!

Dagmar Henze urodziła się w 1970 roku w Stade. Studiowała rysunek w Wyższej Szkole Formy w Hamburgu i od tamtej pory zilustrowała wiele książek dla dzieci dla różnych wydawnictw. Jeśli Dagmar Henze akurat nie siedzi przy stole kreślarskim, chętnie wychodzi z Isabel Abedi pobiegać – a wtedy obie przechodzą obok koziej szkoły Loli! Bo Dagmar Henze mieszka, tak samo jak Lola, w Hamburgu. Dlatego wykonanie ilustracji do książek o Loli sprawiło jej szczególną przyjemność.

SPIS TREŚCI

Poznaj pozostałe przygody Loli!

Nadchodzi Majka!

Majka to najszczęśliwsza dziewczyna na świecie! Hm, czy aby na pewno? No cóż, starszy brat jest od niej ładniejszy, młodsza siostra bystrzejsza, a najlepsza przyjaciółka, Justyna, ma już piersi, podczas gdy Majka może tylko o nich pomarzyć... Ale nie to jest najgorsze: pamiętnik Majki zniknął w tajemniczych okolicznościach! Ten sam, w którym wymądrzała się na temat wszystkich znajomych! Nawet o Justynie...

Polecamy bestsellerową serię
Dziennik cwaniaczka

Magiczna powieść
Isabel Abedi

*— Czy przyszło ci kiedyś do głowy, że Lucian może...
nie być człowiekiem?*

Spuściłam wzrok.

— Nie — wyszeptałam. Pomyślałam jednak: „Tak".

Lucian nie ma przeszłości. Ma za to niepokojące sny
— o nieznanej, ale bardzo mu drogiej dziewczynie. Rebe-
ka od pierwszego spotkania czuje, że coś ją ciągnie do
tego dziwnego chłopaka. Oboje rozpaczliwie próbują
uwolnić się od siebie, lecz łącząca ich więź okazuje się
zbyt silna. Zresztą czy na pewno tego właśnie pragną?

Wydawnictwo NASZA KSIĘGARNIA Sp. z o.o.
02-868 Warszawa, ul. Sarabandy 24c
tel. 22 643 93 89, 22 331 91 49
faks 22 643 70 28
e-mail: naszaksiegarnia@nk.com.pl

Dział Handlowy
tel. 022 331 91 55, tel./faks 022 643 64 42
Sprzedaż wysyłkowa
tel. 22 641 56 32
e-mail: sklep.wysylkowy@nk.com.pl www.nk.com.pl

*Książkę wydrukowano na papierze
Creamy 70 g/m² wol. 2,0.*

Redaktor prowadzący **Anna Garbal**
Opieka merytoryczna **Magdalena Korobkiewicz**
Redakcja **Magdalena Majewska**
Redakcja techniczna **Joanna Piotrowska**
Korekta **Ewa Mościcka, Małgorzata Ruszkowska**
DTP **Mariusz Brusiewicz**

ISBN 978-83-10-12014-4

PRINTED IN POLAND

Wydawnictwo „Nasza Księgarnia", Warszawa 2011 r.
Wydanie pierwsze
Druk: Opolgraf SA